D0514452

Même les politiques ont un père

Émilie Lanez

Même les politiques ont un père

Stock

Couverture Olivier Guichard

ISBN 978-2-234-07762-1

Regarde-moi, c'est cela devenir un homme, voir le visage de son père en face, un jour.

Jean Anouilh, *Antigone*

Un père a deux vies. La sienne et celle de son fils.

Jules Renard, *Journal*

à l'âge de dix-sept ans. Cinq après cette annonce, le jeune Leslie Lynch King prend officiellement le patronyme de son beau-père, Gerald Ford. Ford, le nom sous lequel il dirigera son pays. Ford, le nom qui efface celui de l'homme violent et inconnu dont il est le fils.

Bill Clinton, 42ᵉ président des États-Unis, ne connaît pas son père. Le voyageur de commerce William Jefferson Blythe se tue en voiture trois mois avant sa naissance. Plus tard, sa mère épouse Roger Clinton, un alcoolique. Le jeune Bill se bat avec son père adoptif, qu'il voudrait empêcher de rouer de coups sa mère. Pourtant, à quinze ans, il opte pour son nom et devient William Clinton, surnommé Bill. Le fils d'un mort et le beau-fils d'un bourreau.

George W. Bush, lui, n'a pas perdu son père, mais il s'est épuisé à gagner son attention. Longtemps alcoolique, sauvé par une intense pratique religieuse, ayant échoué dans les affaires, il se lance en politique à la quarantaine. Vains efforts. Le soir de 1994 où il apprend son élection au poste de gouverneur du Texas, il téléphone à son père, qui feint de ne pas entendre ce qu'il lui annonce, tout à sa tristesse de savoir que son autre fils, Jeb, a échoué en Floride. George W. persévère. Unique chef de l'État américain à être le fils d'un Président, il est parvenu à obtenir que son père le regarde.

Randolph Churchill, duc de Marlborough, méprise Winston, son turbulent fils aux cheveux roux. « Vous deviendrez un bon à rien social », lui écrit-il lorsque celui-ci, par deux fois, échoue à intégrer l'académie militaire de Sandhurst. Winston vénère ce père distant, quêtant vainement son approbation. Lorsque celui-ci meurt de la syphilis, le 24 janvier 1895, Winston Churchill déclare, assommé par la douleur, n'avoir désormais plus qu'à « réaliser ses ambitions et honorer sa mémoire ». Ce qu'il fit, démontrant sa bravoure sur trois champs de guerre, emportant quatorze élections et dirigeant le Royaume-Uni durant la Seconde Guerre mondiale, puis de nouveau de 1950 à 1955. L'illustre Premier ministre meurt le 24 janvier 1965, à la date anniversaire de la mort de son père.

Parmi les vingt-quatre Premiers ministres anglais précédant Churchill qui, de Spencer Perceval jusqu'à Neville Chamberlain, se succédèrent à Downing Street, quinze sont orphelins de père. Quinze auxquels s'ajoutent deux nés de père inconnu, soit un total de dix-sept chefs de gouvernement – sur vingt-quatre – ayant souffert de l'absence de père dans leur prime enfance. Dix-sept sur vingt-quatre, ce sont 62 % de ces éminents politiques qui ont perdu leur père avant d'avoir atteint leurs quinze ans. Durant cette même période, seul 1 % des enfants britanniques a connu ce même sort. 1 % *versus* 62 % chez leurs Premiers ministres. Surprise par cette disparité, Lucille Iremonger, l'auteur de cette enquête, se pose deux questions : « La première – pourquoi autant de Premiers ministres ont été privés de parents dans leur enfance ? – est absurde. La seconde, plutôt délicieuse – pourquoi autant d'enfants privés d'un parent sont-ils devenus Premiers ministres ? –, n'est pas du tout absurde[1]. » En effet.

Être le fils – ou la fille – d'un père distant, faible, violent, alcoolique ou mort favoriserait-il l'ascension politique ? La règle n'est pas intangible, les contre-exemples témoignent du contraire. Toutefois, il est intrigant d'observer qu'ils sont exceptionnellement nombreux dans la carrière, ces hommes et ces femmes ayant souffert d'une carence affective. Quel serait le lien entre ce défaut parental, plus ou moins marqué, et le choix de consacrer sa vie à gouverner celle des autres ? Quatre explications à cette singulière prédisposition. Ces enfants de pères défaillants sont contraints, à l'âge où leurs camarades lancent encore des fléchettes sur les troncs d'arbre, à jouer les chefs de famille de substitution. Ils apprennent à diriger. Par ailleurs, comprenant comment pallier les manques du père, échapper à ses griefs, éviter ses colères, ils exercent très tôt leur sensibilité. Une acuité psychologique utile pour manœuvrer parmi les militants. La troisième conséquence d'une enfance

---

1. *The Fiery Chariot. A Study of British Prime Ministers and the Search for Love*, Lucille Iremonger, Secker & Warburg, 1970.

privée de père est avancée par Justin A. Frank[1], professeur de psychiatrie à la faculté de médecine de Washington, auteur de deux biographies, (l'une intitulée *Bush sur le divan*[2] et la seconde consacrée à Obama[3]). Le spécialiste affirme que ces enfants réussissent brillamment en politique parce qu'ils développent un défaut utile : l'ingratitude. Habitués à ne pas pouvoir compter sur celui sur lequel ils auraient dû instinctivement se reposer, ils ne savent gré qu'à leur propre ambition. Ils sont convaincus de ne rien devoir à personne. Ingrats, ils savent trahir, écarter, oublier. Enfin, quatrième point : ces jeunes personnes éprouvent un impérieux besoin de combler leur carence affective. À défaut d'avoir été aimées par leur père, elles vouent leur vie à l'être par leurs pairs. Une blessure narcissique douloureuse au point de nourrir chez eux une ambition vorace, avide, puissante.

C'est une ambition que leurs mères ont souvent abondamment nourrie. Car, si tous les hommes et les femmes politiques n'ont pas souffert d'une carence paternelle, ils ont en revanche en commun d'avoir tous été adorés par leur mère. Jacques Chirac, fils unique particulièrement choyé, en témoigna, confiant que sa « mère ignorait ses

---

1. « Barack Obama sur le divan », Slate.fr, 3 septembre 2012.
2. *Bush on the Couch : Inside the Mind of the President*, Regan Books / Harper Collins, 2004.
3. *Obama on the Couch*, Free Press/Simon & Schuster, 2011.

bêtises et magnifiait ses réussites ». L'adoration maternelle vouée à ces futurs dirigeants a souvent été mâtinée d'exigence. Convaincues que leurs enfants étaient appelés à un glorieux destin, leurs mères les y ont conduits et s'y sont prises très tôt. Ne craignant guère le ridicule, Rose Kennedy confia ainsi avoir reconnu en son John la carrure d'un président des États-Unis alors que le garçon savait à peine lire : « Partout où il allait, il était le chef. Je crois qu'il avait une vocation de chef d'État. » En France également, les mères de Présidents se sont flattées d'avoir su déceler cette aptitude précoce. « Valéry n'était pas comme les autres, il ne tétait pas comme les autres », se rengorge sa mère, May Giscard d'Estaing. Que de louanges maternelles ! Ces mères énamourées – surtout de leurs fils, Œdipe oblige – les ont éduqués dans l'idée qu'ils étaient parfaitement exceptionnels. Nés pour diriger. « Enfant particulièrement choyé, élu de leur cœur avant d'être élu du peuple[1] », le politique est toujours le fils d'une mère admirative.

Et souvent l'enfant d'un père manquant.

L'introspection leur est si peu familière que ces fils et ces filles en sont rarement conscients. Pourtant, à lire leur histoire politique, il apparaît

---

1. *Danielle, Bernadette, Françoise et les autres*, Marie-Thérèse Guichard, Belfond, 1987.

que certains de leurs choix, quelques faiblesses et convictions sont directement liés à leur héritage paternel. On le voit chez Martine Aubry, fille de Jacques Delors, ancien président de la Commission européenne, ou chez Jean-Louis Debré, président du Conseil constitutionnel, et son frère Bernard, député, fils de Michel Debré, Premier ministre de De Gaulle... Ainsi, Pierre Joxe, ancien président de la Cour des comptes et ancien membre du Conseil constitutionnel, surprend lorsqu'à soixante-dix-sept ans il redevient avocat auprès du tribunal pour enfants. Seulement, le sourcilleux socialiste se doit de défendre l'ordonnance de 1945, dont il redoute alors la révision, car ce texte protégeant les mineurs fut soutenu par Louis Joxe, son père, alors que celui-ci était secrétaire général du gouvernement provisoire de De Gaulle.

Pour d'autres responsables politiques, l'histoire paternelle, moins heureuse, contraint plus sourdement. Ainsi, Raymond Barre n'a que quatre ans lorsque des policiers, sous ses yeux, arrêtent son père, suspecté d'escroquerie. René Barre est acquitté, mais la famille de son épouse le bannit. Il meurt alors que Raymond Barre a dépassé la cinquantaine. Son fils ne le revit jamais et fit carrière en adoptant la probité pour combat. Philippe Séguin, maire d'Épinal, député des Vosges, ministre, président de la Cour des comptes, refuse d'être décoré de la Légion d'honneur. Impossible d'accepter l'hommage qui fut dénié à son père, tué au col de Ferrière en septembre 1944, au motif qu'il n'était que simple aspirant et non officier. Le gaulliste ombrageux ne pardonna jamais cet affront post mortem, il en nourrit une amertume rageuse, qui le desservit. Michel Rocard a dix-huit ans lorsqu'il s'inscrit en cachette à Sciences Po, provoquant chez son père, Yves, physicien et fils d'astrophysicien, une colère homérique[1]. Celui-ci ne lui parle plus pendant dix ans, lui coupe les vivres, l'envoie travailler comme tourneur-fraiseur dans les laboratoires de physique de l'École normale supérieure et, surtout, lui explique que, la politique, c'est « apprendre à baratiner, à paralyser, à empêcher de travailler ». Michel Rocard persévère. Il fait carrière sous le regard paralysant de son père qui, interrogé sur les premiers pas de son fils devenu Premier ministre, répondit : « Il a fait moins de conneries que je n'imaginais. » Ligoté par ce mépris paternel, Michel Rocard en a probablement payé le prix dans sa relation avec François Mitterrand, n'osant ni l'affronter, ni s'émanciper de sa tutelle rusée. Lionel Jospin est le fils de Robert, instituteur pacifiste, orateur de la Ligue internationale des combattants de la paix, qui s'obstina à éviter à tout prix une seconde guerre contre l'Allemagne nazie. Le 4 novembre 1998, huit ans après sa mort, son fils Premier ministre inaugure un monument

---

1. *Un professeur a changé ma vie*, Vincent Remy, La librairie Vuibert, 2014.

aux soldats de la Grande Guerre à Craonne où, en 1917, l'armée française tua ses mutins. Il y réclame que « ces soldats fusillés pour l'exemple au nom d'une discipline dont la rigueur n'avait d'égale que la dureté des combats réintègrent aujourd'hui pleinement notre mémoire collective nationale ». Ces mots scandalisent, car ils sont exprimés au nom de la France. Mais Lionel Jospin ne peut se soustraire à la défense de son père, une mission filiale qui le contraint au-delà de sa fonction.

Chez nos contemporains, qu'en est-il du père ? L'ont-ils aimé, chéri, blessé, défié ? De quelle ambition, de quelle complicité, de quelle tendresse sont-ils les légataires ? De quelles blessures, de quel mépris ? À les écouter confier leurs souvenirs, les plus tendres comme les plus douloureux, il apparaît qu'aucun des politiques d'aujourd'hui n'est vraiment parvenu, même ceux qui font mine de le croire, à s'affranchir du père. Qu'on en juge... Épater son père, qu'il a quitté garçonnet sur un quai de Marseille, ne serait-ce pas l'ardent secret qui anime, bien que jamais il ne pourrait en convenir tant il répugne « à ce qu'on cherche dans [ses] pots de bébé les raisons de [son] engagement de quarante ans en politique[1] », Jean-Luc Mélenchon ? Il a neuf ans lorsque ses parents divorcent. Onze

1. *Mélenchon le plébéien*, Lilian Alemagna et Stéphane Alliès, Robert Laffont, 2012.

lorsque sa mère et son beau-père quittent Tanger pour refaire leur vie sous la pluie cauchoise d'Yvetot. Un double arrachement pour l'enfant qui abandonne la ville aimée et son père, qu'il ne reverra guère. Comment expliquer, si ce n'est par l'ardent désir de le retrouver, l'initiation à la franc-maçonnerie choisie à trente-deux ans par Jean-Luc Mélenchon ? Il est alors trotskyste, une famille politique où la franc-maçonnerie est considérée comme un affairisme bourgeois. Et pourtant. « Mon père était maçon, j'ai eu le sentiment de m'inscrire dans une histoire », confie le futur ténor du Front de gauche à ses biographes, qui racontent que, pour les grandes occasions, celui-ci « porte le tablier de son père sous le sien. La marque du père[1] ». Nommé ministre délégué à quarante-huit ans, que fait aussitôt Mélenchon ? Il invite son père à venir l'admirer en son ministériel bureau. Il lui réserve un billet de train, une chambre d'hôtel ainsi qu'une large plage de son agenda. « J'avais tout prévu pour qu'il monte me voir à Paris mais, au dernier moment, il ne se sentait pas à cause de son âge. Il n'est jamais venu, c'est un vrai regret[2]. » Depuis, le tribun à l'écharpe rouge crie. Il crie de plus en plus fort, comme s'il voulait qu'à Perpignan, où vit Georges Mélenchon, sa voix soit entendue.

---

1. *Idem.*
2. *Idem.*

Henri Guaino, tribun coléreux et conseiller de Nicolas Sarkozy, ne connaît pas son père. Élevé par sa mère et sa grand-mère, il a dix ans lorsque l'homme que sa mère épouse lui impose son patronyme. Si le député UMP se targue d'avoir connu « une enfance extrêmement heureuse », il confie néanmoins que « les enfants qui n'ont pas de père ont des blessures secrètes[1] ». Secrètes et bruyantes, tant les siennes nourrissent ses emportements.

Laurent Wauquiez a un an lorsque son père quitte définitivement le domicile familial. Élevé par sa mère, le député UMP accomplit une carrière pressée, dans laquelle il fait montre d'assurance. Il se refuse à évoquer son manque de père, arguant que ce sujet privé ne saurait intéresser ses électeurs. Vraiment ? Lors du débat parlementaire sur le mariage homosexuel, le politicien prudent se laisse soudain rattraper par son histoire et s'emporte : « Qu'un enfant n'ait pas un père et une mère est contre mes valeurs. » Qui comprend que l'ancien ministre ne parle alors que de lui-même, de son chagrin et de son manque d'amour paternel ?

Alain Juppé grandit adoré de sa mère, qui le châtie parfois à coups de parapluie. Il aime son père, « discret, bourru, même un peu sauvage[2] ». Pourtant, dans une confidence surprenante chez

---

1. *Le Monde*, 21 mai 2013.
2. *Je ne mangerai plus de cerises en hiver,* Alain Juppé, Plon, 2009.

cet homme si rétif à la publicité des sentiments, il le démolit : « Il n'était pas irréprochable. J'avais dix ou douze ans quand la crise la plus grave éclata. [...] Je fus intransigeant. Il était coupable et devait disparaître du paysage. » Son père ne partit pas, le couple reprit ses chamailleries. « La clameur des disputes n'avait pas de mal à franchir la mince cloison qui séparait la chambre parentale de la mienne. J'en tremblais des soirées entières. » Pourquoi le pudique Alain Juppé éprouve-t-il le besoin d'écrire, afin que nul ne l'ignore, que son père se conduisit mal ?

Et que penser de l'impossible équation à laquelle se soumet Aurélie Filippetti, ex-ministre de la Culture et unique fille d'un mineur syndicaliste, qui consacre au « roi de [son] enfance[1] » un livre éperdu ? Honorer son père sans le trahir, le dépasser sans le renier, « putain de glorieuse mission suicide que [ses] parents [lui] avaient de toute éternité confiée : réussir, faire des études. Agent double. Janus. Athéna sortie tout armée du cerveau de son père », écrit-elle, dévoilant rageusement les obligations contradictoires qui la guident.

Hommes ou femmes, les politiques n'ont, tant s'en faut, pas aisément accepté de nous parler. Évoquer son père, c'est se résoudre à entrouvrir la

---

1. *Les Derniers Jours de la classe ouvrière*, Aurélie Filippetti, Stock, 2003.

porte sur son intimité, baisser un instant la garde, admettre qu'on demeure le sujet d'une histoire, le maillon d'une chaîne. Évoquer son père, c'est se reconnaître l'otage d'une filiation. Cette règle, au cœur de la psychanalyse, se vérifie avec tous les politiques, même ceux, fort nombreux, qui ont tenté de gommer de leur récit scories, blessures et petitesses. Dans le flot des confidences, les enfants devenus grands perdent un peu de leur contrôle, ils s'égarent, trébuchent. Furtivement, ils sont sincères. Et ils n'aiment guère. Qu'avons-nous appris à les écouter ? Que « l'enfant est le père de l'homme », comme l'écrit le poète anglais du XVIIIe siècle, William Wordsworth. Et que les pères ont mille façons de manquer. Ils peuvent négliger, ignorer, rabrouer, humilier ou écraser. Ils peuvent étouffer de tendresse ou contraindre à réparer leurs blessures.

Il arrive que des pères n'aient pas fait défaut à leur enfant. Qu'ils aient été de bons pères. Simplement bons. Des hommes aimants, tout à la fois sévères et confiants, exigeants et justes. Ceux-là, dirait-on, permettent moins que d'autres à leur fils ou à leur fille d'accomplir un grand destin. Suffisamment aimés, ces adultes éprouveront moins le besoin de se rendre publiquement aimables. C'est ainsi : on réussit mieux en politique quand on a manqué de père. Ou qu'un père vous a manqué.

1

PAL et NICOLAS SARKOZY
Le père est un rival

Pal Sarkozy nous conduit vers sa salle de bains. À l'autre bout de l'appartement dans lequel les époux Sarkozy vivent une partie de l'année, quand la température chute à Ibiza, l'octogénaire choie un mausolée. En bois blond et en marbre, la pièce ne contient ni savon, ni dentifrice, mais elle expose sur ses murs une collection d'icônes hongroises peintes sur verre, un tableau de l'arrière-arrière-grand-père moustachu en uniforme de cavalerie et, posé au pied de la baignoire, un dessin au crayon. Une jeune femme, mâchoire volontaire, cheveux courts. « La comtesse de Guyancourt, dont je fus amoureux six mois avant d'épouser Dadue[1] », commente

---

1. Entretien avec l'auteur le 14 février 2014. Toutes les citations pour lesquelles aucune autre source n'est spécifiée relèvent de cet entretien.

le portraitiste. On demande à l'octogénaire, suçant sa cigarette électronique, si la comtesse l'a congédié avant qu'il ne convole avec ladite « Dadue », c'est-à-dire Andrée Mallah, la future mère de ses trois premiers fils. Pal Sarkozy s'esclaffe. « Moi, jamais une femme ne m'a quitté. » La conversation se prolonge au chevet de son lit, il sort de sa table de nuit son passeport « préféré », celui de l'Académie des beaux-arts de Moscou, puis une photo de sa mère se baignant, enceinte de lui. Des digressions mondaines qui ne lui font pas perdre son fil. Depuis sa salle de bains et la comtesse de Guyancourt, le père de Nicolas Sarkozy suit une idée : « J'aime beaucoup Cécilia. Quel courage ! » Voici donc où il voulait nous conduire… Et de se lancer dans l'éloge enthousiaste de son ex-belle-fille, « admirable » d'avoir quitté un « millionnaire » – le producteur de télévision Jacques Martin – qui l'adorait, pour « vivre *back street* avec un conseiller municipal à 1 300 euros par mois » – comprenez son fils Nicolas, alors maire de Neuilly – et surtout d'avoir eu le panache de quitter celui-ci, père de son fils Louis, « le jour même où il devient Président, le lâcher le jour même, quel courage, vraiment quel courage ». « J'aime beaucoup Cécilia », conclut l'homme qu'aucune femme n'a quitté et qui se régale que son fils ait, lui, été publiquement trompé. Un rival, ce père. Un concurrent qui se délecte des faiblesses de son adversaire. Quelques heures passées à l'écouter proférer une litanie d'horreurs sur un seul de ses cinq enfants permettent d'envisager l'embarras que connut Mireille Dumas lorsque, en mars 2010, elle l'invita dans son émission. De longs enregistrements sont réalisés, dont la productrice se fait fort de choisir des extraits afin d'aboutir à un portrait tempéré du père du président de la République. Las, le panachage est impossible. Tout n'est que fiel. Coup de fil pressant à la mairie de Levallois, et voici qu'accourt Patrick Balkany, l'indéfectible ami de quarante ans. Il pare à l'antenne aux piques du père en évoquant les qualités de son plus fidèle camarade.

Tous ceux qui les chérissent, soit l'un, soit l'autre, et fort rarement les deux, en conviennent avec fatalité : Nicolas et Pal Sarkozy ne s'aiment pas. Entre eux, il n'y eut ni rupture, ni lassitude, mais d'emblée cette relation sournoise faite de rivalité et de mépris, un amour malade, mystérieusement condamné à ne pas guérir. « Lorsqu'on me demande ce que j'ai ressenti à la naissance de Nicolas, je réponds qu'il fut la conclusion logique d'une très bonne nuit passée avec ma femme[1] », résume Pal, choisissant de ne retenir de son enfant que la jouissance virile qu'il eut à le concevoir. Chez le fils, pourtant coutumier des postures bravaches, les mots sont définitifs : « À part d'un père,

---

1. *Tant de vie*, Pal Sarkozy, avec Frédérique Drouin, Plon, 2010.

je n'ai manqué de rien[1]. » Litote. Dans cet aveu rare, l'homme blessé nomme le drame de sa vie, la béance qui l'agite et qu'il lui faut tenter de combler. Car le pire est que son père lui fait défaut consciemment. Il vit, s'amuse, voyage, dessine et choisit de se soustraire, de manquer. Est-il pire absence paternelle que celle qui est voulue ?

« La relation est conflictuelle et compliquée depuis que les enfants se sont retrouvés sans papa », analyse Cécilia Attias, choisissant ces mots puérils pour se remémorer la souffrance de son ex-mari, qu'elle décrit comme si celle-ci venait d'éclore. « Quand il s'agit de son père, Nicolas est pudique », relève un ami, habitué à ne jamais pouvoir évoquer ce sujet. Dans ses propos publics, le politique livre parfois quelques indices. Le 30 mars 2007 à Nice, candidat à l'élection présidentielle, il prononce un discours dont tous les commentateurs retiennent la jolie formule : « Français au sang mêlé qui doit tout à la France » mais ces derniers sont moins attentifs à la suite, qui mérite d'être retenue car elle dévoile des blessures vives. « Tant de choses se jouent dès la petite enfance », « l'enfant est innocent, il n'est pas responsable ». Et cette conclusion, cachée entre deux paragraphes : « Je suis convaincu que la haine de soi est le commencement de la haine des autres. » C'est l'enfant Nicolas qui parle

---

1. 7 février 2005.

26

et murmure combien il lui fut dur de s'estimer quand celui qui devait le chérir se détournait.

Pal Sarkozy, fils de la petite noblesse désargentée hongroise, découvre Paris à l'hiver 1949. Bel homme à l'allure preste, il fait commerce de ses portraits de salon, charmant ces dames de la plaine Monceau de son accent slave qu'amplifient ses exquises manières. Invité des beaux quartiers, il sonne chez les Mallah, dont il lui a été dit qu'une des deux filles pourrait l'aider à trouver un emploi[1]. La piquante Andrée, dite Dadue, étudiante en droit, lui ouvre la porte. Ils se marient l'année suivante. Pal Sarkozy rejoint une agence de publicité, dans laquelle son bagout fait florès. La naissance de Guillaume, son premier fils, comble sa fierté dynastique. Celle, deux ans plus tard, de Nicolas l'émeut moins. L'enfant est petit, nettement plus petit. A-t-il hérité des gènes maternels ? « J'ai été très peu père. » La faute, à en croire le vieil homme, à ses nobles racines. Enfant, il ne croise son propre père qu'une fois par jour et doit se contenter de lui baiser la main avant de retrouver sa gouvernante. « En Hongrie, les femmes s'occupent des enfants et les hommes de leurs affaires. » Pal Sarkozy travaille « quinze heures par jour » et la scolarité de Nicolas le dérange. L'enfant, dit-il, a de grandes difficultés scolaires :

---

1. *Les Sarkozy, une famille française*, Pascale Nivelle et Élise Karlin, Calmann-Lévy, 2006.

« Élève médiocre, le seul, vraiment le seul de mes enfants qui ait redoublé. » Celui-ci, pourtant, travaille en cachette, il se relève la nuit pour essayer de retenir ses leçons, jusqu'à 3 heures du matin. Ses frères écoutent et se souviennent. Ses frères ne travaillent jamais et excellent. Nicolas s'épuise. À tel point qu'en classe il s'évanouit de fatigue. Pal l'assure : si Nicolas Sarkozy a de la mémoire désormais, « c'est parce qu'il a dû faire beaucoup d'efforts pour retenir ses leçons ». Cinquante ans plus tard, il glisse ce méchant souvenir avec délectation, n'en mesurant pas le ridicule anachronisme. Il ne veut pas que Nicolas soit le plus brillant de ses enfants et se persuade à haute voix que tel n'est pas le cas.

Il ne suffit pas à Pal Sarkozy de rabaisser Nicolas, il lui faut aller plus loin encore dans la détestation qu'il a de lui. Il s'est ainsi concocté un résumé de la carrière de sa progéniture, qu'il déclame à grande vitesse afin d'en masquer la délirante subjectivité. Il commence par affirmer que ses enfants – trois nés de son mariage avec Dadue, deux de son union avec Christine de Ganay – lui ressemblent, qu'il leur a décidément transmis de « bons gènes », qu'ils sont à son image, « tous, sauf Nicolas ». Il feint d'y lire une mystérieuse exception aux lois de l'hérédité. Puis, le père poursuit en croquant la réussite de « tous ses enfants » : « Guillaume a des milliers d'employés, François dirige une énorme entreprise, Oliver est le roi de Wall Street, Caroline est architecte et voyage dans le monde entier. » Et Nicolas ? « Président des États-Unis, ça c'est admirable, mais la France... » Il n'en a pas fini. Il lisse le pli repassé de son jean, tire sur sa blouse d'artiste d'un blanc virginal et, tel un éleveur se gaussant du pedigree de son cheptel, énumère le prénom de chacun de ses enfants, leur taille et leur revenu annuel : « Guillaume, 1,90 m et des centaines de milliers d'euros par an. François, 1,87 m et des centaines de milliers d'euros. Oliver, 1,89 m et des millions d'euros. Caroline, elle est très grande, elle aussi. » Galant homme, qui ne précise ni la taille ni les revenus de son unique fille. Satisfait, il s'excuse d'avoir lui-même dû abandonner au temps qui passe une petite dizaine de centimètres, la faute aux disques entre les vertèbres. Une fois de plus, il n'a pas évoqué Nicolas. Il n'a donné ni sa taille, ni le montant de ses émoluments. Tous, sauf Nicolas. On lui fait remarquer cet oubli obsédant. « Il est tout petit, il tient de Dadue. Pour faire de la politique, il faut avoir des complexes, Nicolas en a beaucoup. » À moins que Nicolas n'en ait qu'un. Un seul, envahissant et dirimant : lui, son père.

Le deuxième fils des Sarkozy n'a cependant pas manqué d'amour. Il grandit chéri par sa mère, femme attentive et déterminée, et cajolé par son grand-père. Le docteur Benedict Mallah héberge, au second étage de l'hôtel particulier qu'il loue rue Fortuny, la famille divorcée à laquelle il offre sa tutelle. Il voue à Nicolas, ce petit-fils qui lui ressemble, une affection particulière. Tous deux partagent le goût des collections de timbres, des balades en métro et se passionnent pour les courses cyclistes. Très tôt, Benedict Mallah instruit le garçon de sa grande passion : la politique. Le soir, il l'assoit sur ses genoux pour écouter la radio et, le matin, avant que celui-ci ne file à l'école, lui lit longuement les journaux. Il l'élève dans le culte de son grand homme, le général de Gaulle, auquel bientôt le collégien voue à son tour une admiration naïve. Comment ne pas aimer l'homme qu'aime le seul homme qui vous aime ? La mort de son grand-père, alors qu'il a dix-huit ans, est le premier chagrin de Nicolas. Un an plus tard, étudiant en droit, il s'inscrit à l'UDR, l'Union des démocrates pour la cinquième République, ancêtre du RPR, le parti soutenu par son aïeul. Il s'y engage avec une voracité, une énergie, une ambition que rien ne rassasie, comme s'il fallait étourdir ce vide paternel. Pour oublier que celui-ci lui manque, le fils dévore. Lorsqu'il obtient sa licence de droit, Pal, qui a depuis longtemps quitté le domicile familial et refait sa vie, lui offre une montre Cartier, le modèle hublot en acier, le moins coûteux de la gamme. Nicolas ouvre le paquet et ne dit rien. Pas un mot, ni un geste. Il est désemparé par ce cadeau, le premier et le seul, que lui fait son drôle de père. Sa « montre d'adulte », dit-il. Il la met à son poignet.

Pour longtemps. Rien n'est simple, même entre un père et un fils qui échouent à s'aimer.

Le 23 avril 1983, élections municipales à Neuilly-sur-Seine. Nicolas Sarkozy se présente sur la liste du RPR à la barbe de Charles Pasqua, son parrain. Le bientôt maire convie ses parents à l'entourer dans ce moment particulier pour ce presque trentenaire qui s'est juré de grimper haut, là où même son père ne pourrait plus le toiser. À chaque suffrage qu'il obtient, sa mère crie de joie et pince le bras de ses voisins. Pal, debout dans un coin de la salle, ne bouge pas. Lorsqu'il apparaît que leur fils de vingt-huit ans est élu à la tête de la plus riche commune d'Île-de-France, la mère exulte, brandissant son bras endolori d'hématomes, le père sourit, comme au spectacle. Près de trente ans plus tard, Pal se remémore avec mauvaise grâce cette soirée, celle où son enfant, le « conseiller municipal à 1 300 euros », le fils de réfugié hongrois, revêt pour la première fois l'écharpe tricolore. En revanche, il se souvient – un peu – mieux de la journée du 6 mai 2007. « C'était mon anniversaire. » Tiens donc ? Pause. Silence. Bouffée de cigarette électronique. Il corrige. Le jour où son fils est élu à la présidence de la République française tombe en réalité le lendemain de son propre anniversaire. Est-il possible que la mémoire d'un père vole à son fils son élection à la tête d'un État ? Pal Sarkozy balaie la question, il ajoute que son meilleur souvenir de la journée est d'avoir bavardé tout l'après-midi avec Johnny Hallyday. Il lui reste une perfidie en stock, il s'en voudrait de la garder pour lui, alors il reprend : « Ensuite, on est allés au Fouquet's. Cette soirée a donné lieu a beaucoup de commentaires. »

Élu président de la République, Nicolas Sarkozy tance son père. Cinquante-trois ans qu'ils rivalisent, et voici qu'enfin le fils prend la main. Il a le dessus. Pal, publicitaire retraité, est devenu un artiste, il sculpte des femmes aux cuisses écartées qui s'emboîtent, peint un couple s'embrassant à coups de langue géante – « c'est pour Dadue » – et trouve dans l'élection de son fils délicieuse matière à provocation. Il dessine un portrait de lui portant la Légion d'honneur en boucle d'oreille et s'agite jusqu'à obtenir d'être photographié lui offrant la toile dans son bureau élyséen, reproduite en six exemplaires et estimée à 10 000 euros pièce. Il confie que sa nouvelle bru, Carla Bruni, accouchera « le jour de la réunification allemande » et qu'elle peine à « se priver de cigarettes » – pour le vin, c'est plus facile. Il juge que son fils ferait mieux de ne pas se représenter à l'élection présidentielle de 2012 car, décidément, ce job de Président est fatigant… Un peu plus et il ajouterait que celui-ci risque de s'évanouir. Las, le Président ne se laisse plus narguer. Il décroche son téléphone et gronde son père. « La présidence a changé ma vie plutôt en mal qu'en bien », maugrée ce dernier. Contraint au silence médiatique, Pal Sarkozy s'attelle à la rédaction d'une autobiographie[1]. Il épuise son coauteur, lui répétant qu'il veut vendre plus d'exemplaires... que son fils. Avant de la publier, il la fait lire à Nicolas, qui s'étrangle en découvrant qu'il croit nécessaire d'écrire que sa mère n'arriva point innocente à l'autel. Pal savoure, il a réussi à toucher là où ça fait mal : l'honneur de sa mère. Tellement content qu'il raconte deux fois l'anecdote puis montre le mot aimable – et standard – que François Hollande lui adressa en remerciement de l'envoi de son livre.

Depuis ses années élyséennes, Nicolas s'est lassé de détester franchement son père. En accomplissant son ambition politique, il aurait comblé son manque. Ses intimes le confirment : « Maintenant, il s'en fiche. » C'est évidemment faux. Voici peu, Pal Sarkozy prie une amie, sachant manier la plume, de rédiger en son nom une lettre à son fils, expliquant ne pas savoir bien écrire le français. Pal envoie le courrier contenant quelques gentillesses. Nicolas lui répond avec affection. Serait-il possible que le manque de père demeure et soit sensible à la moindre caresse, fût-elle tardive ? Récemment, l'aristocrate hongrois, quatre-vingt-quatre ans, a souffert d'une pneumonie. L'alerte est sévère. Une

_____
1. *Tant de vie, op. cit.*

amie lui rend visite sur l'île de la Jatte puis avertit Nicolas qu'il serait bon qu'il aille à son chevet. Le père est âgé, l'hiver rude. Nicolas Sarkozy soupire. Il la prie d'y retourner. Qu'elle observe et l'informe. Peu de temps après, celle-ci, décidément attentionnée, lui fait savoir qu'elle a, la veille, en compagnie de son époux, déjeuné avec son père et qu'il va mieux. « Mes pauvres, lui lance Nicolas, pourquoi vous vous tapez tout ça ? Quel courage. » Carla, sa troisième épouse qui cultive l'esprit de famille, a tenté de les rapprocher. À la naissance de Giulia, la première fille de Nicolas et son quatrième enfant, les parents organisent une petite fête à leur domicile. Pal vient. Il est là, impeccablement droit. « Personne ne comprend pourquoi il est si méchant avec Nicolas, alors qu'avec ses quatre autres enfants les relations sont paisibles », témoigne un fidèle ami.

On le lui demande. Il répond aimer tous ses enfants. Il l'écrit, à sa façon, impitoyablement narcissique. « Vous êtes les seules décorations que le destin m'ait offertes et je les revendique[1]. » Comme il est étrange de comparer, au soir de sa vie, ses enfants à des médailles. Ne pouvant faire l'impasse sur la carrière politique du deuxième de ses fils, il l'écorne : « À la croisée d'un petit destin et de la grande histoire, l'un de mes fils brillant, volontaire et charmeur a saisi la balle au bond. » « Petit

---

1. *Idem.*

destin », « charmeur », « balle saisie au bond »,
ainsi est décrit le parcours de celui qui parvint à
présider la République française et la destinée de
soixante millions de Français... On lui fait observer
que la phrase est méchante. Pal Sarkozy réplique
ne pas s'intéresser au « passé » et nous conduit
dans son atelier d'artiste-peintre, une pièce lumi-
neuse dont le sol est étonnamment recouvert d'une
moquette blanche. Il nous montre un tableau. La
page du *Figaro* annonçant la victoire de Nicolas
à l'élection présidentielle, sur laquelle, grâce à un
photomontage, son visage remplace celui de son
fils élu et autour duquel des admirateurs ont grif-
fonné : « Pal Président ! C'est toi qu'on veut. » Le
père la contemple.

Sur le seuil, alors que l'ascenseur qui arrive directement dans son entrée nous attend, il demande si
nous parlerons aussi du père de François Hollande,
qui ne doit pas être bien commode lui non plus.
Il paraît qu'il serait d'extrême droite, d'un naturel
bougon, peu avisé en affaires. Comme c'est amusant que lui aussi soit affublé d'un père indigne.
Mine gourmande, tant il se réjouit d'appartenir à ce
club restreint de pères encombrants de présidents
de la République. Car, soyons précis, il ne partage
pas avec Georges Hollande l'honneur d'avoir un
fils parvenu grâce à son travail, son intelligence
et sa volonté à être élu Président. Non, il partage
avec lui le délicieux sentiment d'appartenir à la

2

ALAIN et MARISOL TOURAINE
Mission impossible

Alain Touraine habille Marisol. Pour sa fille ministre, le célèbre sociologue achète des vestes, des chemisiers, des sacs à main, et même un jour une robe du soir, longue et sombre, une merveille qu'elle regrette de ne pouvoir porter tant l'époque de ces atours est révolue. À l'occasion de ses cinquante-cinq ans, il lui offre un ensemble chic veste-pantalon en taille 38, acheté chez Kenzo, le couturier français né au Japon. Cette fois, cette rare fois, il se trompe en choisissant au Bon Marché, le grand magasin parisien de la rive gauche, l'élégante tenue, car sa fille ne porte pas de pantalons. Elle ne les aime pas et le lui rappelle en déballant son cadeau. Désormais, elle essaie de dire quand cela ne lui va pas. Quand il choisit mal pour elle.

Le directeur *honoris causa* de quatorze universités dans le monde, l'orgueilleux intellectuel dont les travaux consacrés aux mouvements sociaux marquent la pensée française choisit les vêtements de sa fille, conseillère d'État, mère de trois enfants, en charge du lourd ministère de la Santé et des Affaires sociales. Ils n'en font pas mystère, racontant l'un comme l'autre avec tendresse ce geste singulier, comme s'il était courant qu'un homme de quatre-vingt-huit ans fasse les boutiques pour sa fille de cinquante-cinq ans ayant accessoirement la responsabilité d'un budget public de 5 milliards d'euros. Que traduit chez un père le fait de choisir des habits pour sa fille adulte ? Qu'accepte une fille d'un père qui décide de ce qui lui ira bien ?

En 1956, Alain Touraine, agrégé d'histoire devenu sociologue, part pour le Chili étudier les conditions de travail des mineurs et le rôle des syndicats. Durant ce séjour, un membre de sa délégation souffre d'une rage de dents terrible. On cherche un dentiste. Adriana Arenas, étudiante en médecine, est désignée. Elle quitte le laboratoire où elle étudie l'hémophilie chez les crapauds pour soigner la dent malade du chercheur français, ce dont elle est remerciée par une invitation au dîner qu'offre ce soir-là l'équipe d'universitaires parisiens. Elle y rencontre Alain Touraine. Trois mois plus tard, ils sont mariés.

Adriana est une femme gaie et séduisante, qui adore s'habiller. Comme son mari n'est que chichement rémunéré à son poste d'enseignant-chercheur, la jeune femme coquette coud elle-même ses tenues, dont certaines font merveille, comme cette robe en soie rose... Marisol apprend tôt le goût des beaux vêtements, d'autant qu'au soin que leur apporte sa mère se mêle l'esthétisme féroce de son père, qui ne supporte pas la laideur. Ni celle des tenues, ni celle des personnes, qu'il moque à voix haute tant elle le gêne. Marisol retient que s'habiller avec soin est un devoir, une bienséance, une discipline.

La famille Touraine vit à Châtenay-Malabry, commune des Hauts-de-Seine, au nord de la Bièvre, dans une résidence confortable où son appartement de plain-pied s'ouvre sur un jardin. Le père y écrit ses livres enfermé dans son bureau, une pièce envahie d'un nuage épais de fumée de pipe, inaccessible puisque les livres s'y amoncellent et à la porte de laquelle il faut toquer avant de pouvoir y pénétrer. Marisol et Philippe, son frère, ne doivent pas le déranger. Cependant, les parents, en avance sur leur temps, cultivent le partage des tâches. Alain est un père moderne, il donne le biberon, console des cauchemars, change les couches, soigne les blessures. Sa mère chante, danse, elle coud des déguisements et fabrique, aidée de ses copines du quartier, une complète famille de marionnettes. Alain s'en amuse, il laisse sa femme « tellement merveilleusement latino[1] » organiser cet enchantement perpétuel. De bon cœur, il accepte que ses enfants, tant qu'ils sont petits, grandissent différemment de lui, qui fut élevé dans une famille de médecins où l'on n'allumait pas le chauffage dans les chambres. Chaque jour, Marisol et Philippe reçoivent pour le goûter un gâteau que leur mère a préparé. Petits rois d'une mère exilée d'Amérique latine, le duo est choyé. Chaque dimanche, les retrouve pour jouer la même bande composée des trois enfants de Michel Crozier, célèbre sociologue des organisations dont l'épouse espagnole est une proche d'Adriana Touraine, et des deux garçons de Serge Moscovici, lui-même sociologue et indéfectible ami d'Alain Touraine. Les anniversaires sont célébrés en grande pompe – une quarantaine de petits invités – et toujours déguisés. Pierre Moscovici, futur ministre de l'Économie et des Finances, bombe le torse sous sa tenue de camouflage militaire ; en treillis, il arpente l'herbe tendre de la résidence de grande banlieue. En frappant la piñata pour faire tomber les bonbons, Marisol et lui ne se doutent pas qu'ils seront ministres du même gouvernement. La fillette ne peut guère plus deviner que son cousin germain, plus jeune qu'elle, Alberto

---

1. Entretien avec l'auteur le 12 mars 2014. Toutes les citations pour lesquelles aucune autre source n'est spécifiée relèvent de cet entretien.

Arenas, le fils du frère de sa mère, deviendra également ministre des Finances dans le gouvernement chilien de Michelle Bachelet. En attendant que ces enfants gouvernent, on chante dans le jardin des Touraine. Avec les rejetons des collègues du père.

L'universitaire adore le travail, dont il dit avec délectation avoir fait une « manie excessive ». Tous les jours, dimanche compris, il écrit, lit, étudie, même une fois devenu octogénaire. Ses deux enfants racontent que les jours où leur père n'a passé que six heures à son bureau, il se plaint de n'avoir accompli qu'une « petite journée ». À la plage pendant les vacances, il s'assoit dans le sable et sort de sa poche – car parmi la foule des estivants en maillots de bain, il garde son costume – son carnet de notes et y travaille. Que faire d'autre sous le soleil d'août ? Dans la famille, l'endroit où l'on passera les vacances d'été est choisi selon une règle fixe. Une année sur deux, on part pour le Chili y retrouver la famille maternelle et, éventuellement, si le voyage est cette année-là trop coûteux, on alterne avec l'Espagne, afin d'y parler la langue à défaut d'y embrasser les cousins, tantes, oncles et grands-parents maternels. L'été suivant, on visite un pays. Pas le plus chaud, le plus ensoleillé, celui qui permettrait de faire de la randonnée ou de se poser dans une location bien située. Non, le pays des vacances sera celui qui a traversé le plus intéressant changement politique dans l'année écoulée, afin qu'*in vivo* le père universitaire puisse enseigner à ses enfants les forces et faiblesses des actions citoyennes, les tiraillements des mouvements régionalistes ou les fondements des luttes syndicales. Ainsi, Marisol et les siens passent un été en Grèce à découvrir les stigmates de la dictature des colonels et les balbutiements démocratiques du premier gouvernement Karamanlis, puis un autre été au Portugal pour étudier cette intrigante révolution des Œillets qui met fin au régime salazariste – le père photographie ses deux enfants sous la tribune du Parlement –, puis ce sera la Hongrie, la Pologne et les États-Unis, après que le Congrès a voté la destitution de Nixon. Qu'on ne s'y méprenne pas, les Touraine ne passent pas leur été géopolitique en sac à dos avec Butagaz et lampe torche. Adriana déteste le camping. Ils descendent à l'hôtel, visitent des musées, des églises et attendent que le père ait fini ses conférences et ses rendez-vous avec des intellectuels locaux. Une vie de famille dont les vacances s'organisent autour du travail paternel et servent d'expériences sur le fonctionnement des institutions politiques.

À la maison, il en est de même. Dans la salle à manger familiale, le père esquisse une forme de démocratie participative, les grandes décisions sont soumises au vote. Lorsque la voiture s'essouffle, l'achat d'une nouvelle est proposé aux quatre électeurs. Enfin presque. Car, si Marisol, son frère

Philippe et Adriana peuvent se prononcer sur la couleur, donner leur avis sur le modèle – Dauphine ou R16 ? –, il ne saurait être question de choisir la marque de la future voiture, qui devra être une Renault. Toutes les voitures Touraine sont des Renault, le père ayant longuement étudié les conditions de travail à l'usine de Boulogne-Billancourt. Lorsque Marisol a dix-sept ans, ses parents décident de s'installer à Paris. En famille, ils visitent deux appartements, dont le coût, la taille et l'emplacement correspondent à leurs possibilités et leurs désirs. Alain Touraine soumet au vote le choix définitif. Sa fille, formée par la suite aux complexes tours de scrutins internes au parti socialiste, comprendra que le discours du chef de famille prononcé en préambule au vote influait grandement sur l'issue du scrutin.

Bien que le père travaille et que son épouse demeure au foyer, c'est lui exclusivement qui surveille les devoirs des enfants. Leur scolarité obéit à sa tutelle consciencieuse et dure. Normalien à vingt ans, agrégé d'histoire, Alain Touraine professe une paradoxale méfiance envers l'institution scolaire. Il ne croit qu'aux livres, à l'intelligence et à l'effort, lui qui, à neuf ans, reçut de ses parents à Noël un tome de la *Géographie universelle* consacré à l'Asie centrale, présent qui l'enchanta. Le sociologue se méfie de l'école, qu'il juge arriérée, crispée dans son « corpus napoléonien ». Or, sa fille, « comme

43

sa mère », précise-t-il, transformant cette adhésion en un défaut quasi génétique, aime s'y rendre. Du coup, son père la tient à l'œil. Maigre, la brunette prend l'habitude en classe de s'asseoir en cigogne, les jambes repliées sous ses fesses. Les enseignants la grondent et la prient de s'asseoir correctement. L'enfant le raconte à ses parents. Sa mère sourit. Dès le lendemain matin, son père file à l'école et s'indigne qu'on impose une contrainte aussi stupide que de déplier ses jambes. Cela ne s'arrête pas là. D'autres règles surgissent et Alain Touraine passe sa vie à engueuler les professeurs, les surveillants, la directrice. Rien n'est assez intelligent, assez stimulant pour son enfant.

Si le père critique sans cesse l'institution scolaire, il exige en revanche de sa fille – sans le lui dire – qu'elle y accomplisse un parcours excellent. C'est dans le silence de son regard, dans le poids de son exemple que les enfants comprennent que, s'ils veulent être reconnus, il leur faudra à eux aussi briller, exceller, travailler plus, travailler toujours. « Cette injonction s'impose à nous avec la force de l'évidence. Les interdits ne sont pas posés, il est naturel que nous fassions bien[1]. » Le travail leur est présenté non pas comme un devoir, mais comme l'unique condition de la liberté. Et

---

1. Entretien avec l'auteur le 27 février 2014. Toutes les citations pour lesquelles aucune autre source n'est spécifiée relèvent de cet entretien.

pas n'importe quel travail, pas celui qui permet d'obtenir un baccalauréat honorable et un métier convenable, non, leur travail doit atteindre la perfection. Chez les Touraine, on peut en effet choisir de faire ce qu'on veut, à condition d'opter pour le plus dur et d'y être de loin le meilleur. C'est un héritage, le seul legs dans cette famille où personne n'a « fait d'argent », comme le constate Marisol, étonnée que ses grands-parents aient été toute leur vie des locataires, alors que leur génération achetait de l'immobilier et le transmettait.

Lorsque le jeune Alain acheva son lycée, il parla à son père de ses études. Le médecin le rassura ; il pouvait choisir ce qui lui plaisait. Enfin, tout ce qu'il voulait... parmi ces trois choix : Polytechnique, Normale Sup et l'internat de médecine à Paris. La liberté réduite à ce trio d'études magnifiques. Alain choisit Normale Sup, puis l'agrégation. De ses parents, l'intellectuel a tout remis en question. Ni de droite comme eux, ni médecin comme le sont tous les hommes de la famille. Il est en revanche un impératif qu'il a fait sien : l'excellence. Le soir de ses dix-huit ans, Marisol a une longue discussion avec son père. Elle lui confie s'inquiéter de n'avoir rien fait de sa vie. Une réflexion saugrenue chez une fille de cet âge, mais pas pour celle d'Alain Touraine, tellement soucieuse d'être digne de lui. Il lui répond qu'elle a raison. Elle n'a rien fait de sa vie. Puis il ajoute qu'il ne saurait en être autrement, car on ne peut tout à la fois être protégé et construire. On ne peut être la fille d'Adriana et grandir comme Alain, qui, lui, rédigea à dix ans son premier livre d'histoire. Marisol doit désormais choisir.

Adolescente, Marisol tient tête. À qui ? À son père qui l'assomme d'exigences immenses, à ce taiseux qui réfute la possibilité même de l'existence d'un vague à l'âme, d'un chagrin ou d'une fatigue ? Non, la brillante élève s'oppose à sa mère, cette femme douce, enveloppante et riante. Grisée de lectures et de succès scolaires, la future femme politique a la jeunesse arrogante, la morgue adolescente de ceux qui ont fait de grandes études et dédaignent ceux qui les ont arrêtées. Elle se l'est reproché. Elle s'en est voulu d'avoir affronté celle qui lui avait offert sa vie. En revanche, jamais elle ne défie son père, jamais elle ne renâcle, ne réclame une pause, ne s'arroge une distraction, jamais elle ne s'accorde un échec qui lui prouverait qu'elle est libre. Ce père, au charme radieux, à l'intelligence solaire, à la culture immense, sa fille l'admire. Il la structure, il l'épuise, il lui inspire de la crainte.

Alain Touraine semble croire ce qu'il dit quand il confie que sa fille a choisi les mêmes écoles que lui « spontanément » ; Marisol a en effet « choisi » Normale Sup, puis « choisi » de passer l'agrégation, en sciences économiques et sociales toutefois, puis « spontanément » encore, choisi Harvard, car son père, qui y poursuivit ses études, lui fit valoir combien la France ne saurait lui suffire. Elle choisit « spontanément » d'être la meilleure. Tout comme elle choisit « spontanément » de rejoindre à vingt-cinq ans, comme conseiller aux affaires stratégiques, le cabinet de Michel Rocard, ami de son père, seul homme politique avec Jacques Delors et Pierre Mendès-France que celui-ci estime. Michèle Rocard, l'épouse de Michel Rocard, nommé Premier ministre en 1988, est une proche d'Alain Touraine. Elle a repéré sa fille, alors jeune chercheuse en stratégie internationale. L'égérie de son mari Premier ministre suggère à celui-ci de s'intéresser à la petite Touraine. Il obéit. Marisol aussi. Au même moment, la normalienne s'est vu offrir d'intégrer le Centre d'études et de recherches internationales que dirige l'éminent sinologue Jean-Luc Domenach, proposition infiniment plus proche de son objet d'études, proposition qu'elle déclina cependant. Elle entre ainsi en politique chez l'ami de son père, désignée par une amie de son père. Elle y est heureuse.

En vouant sa carrière aux questions de défense et de stratégie, en ne suivant donc pas son père historien et sociologue, Marisol Touraine s'autorise un premier pas de côté. Ce domaine lui permet de ne pas avoir à se mesurer à lui. Rivaliser ? Quelle hérésie. En rejoignant le cabinet de Michel Rocard à Matignon, elle accomplit un second pas de côté. Rocard et la deuxième gauche conviennent à l'intellectuel engagé. En revanche, la politique gouvernementale, celle des responsabilités, des accommodements, des renoncements et non celle si glorieuse des pensées, est à ses yeux sévères une « catégorie non importante ». Pourtant, sa fille s'y plaît. Elle y fait carrière à sa façon, pragmatique et bûcheuse.

Lorsque, en mai 2012, la socialiste strauss-kahnienne, présidente du conseil général d'Indre-et-Loire, apprend qu'elle est nommée au gouvernement Ayrault, elle avertit par texto son mari, Michel Reveyrand de Menthon, ambassadeur dans le Sahel, qui la félicite tout en lui faisant part de sa vive inquiétude. A-t-elle anticipé la rudesse de cette exposition politique ? Marisol appelle ensuite son père. Son entourage se souvient qu'elle pleure en lui parlant. Il la félicite, lui dit être content et combien sa mère, morte d'un cancer en 1990, serait fière. L'érudit, soucieux des mots justes, choisit de dire qu'il est « content », banalement, platement « content » d'avoir une fille ministre. En revanche, deux ans plus tard, il ne se souvient pas du tout qu'elle ait pleuré en lui annonçant la grande nouvelle. Marisol, pleuré ? Quelle étrange idée. Il se rappelle au contraire qu'elle était calme, très calme, et précise que quiconque connaît sa fille sait bien que, au comble de l'émotion, « ce ne sera pas un torrent de larmes ». La fille d'Alain

Touraine ne pleure pas au téléphone lorsqu'elle apprend qu'on l'a choisie pour participer à un gouvernement. Deux ans plus tard, son père se console de la savoir ministre en soulignant qu'elle est « surtout conseillère d'État », une institution honorable qui n'équivaut pas à ses yeux à la Cour suprême des États-Unis, mais qui demeure « respectable, même si la France mériterait de meilleures institutions ». On a connu des compliments plus enthousiastes.

Au septième étage de l'immeuble fonctionnel du boulevard Duquesne, où siège le ministère, Marisol Touraine a posé, à droite de son bureau, un portrait en couleurs, agrandi et encadré, pris par un photographe de *Marie-Claire*. Son père assis, souriant, le visage tourné vers elle. Vêtue d'un perfecto en cuir sur une robe à fleurs, la fille entoure de sa main le bras paternel. Ainsi, Alain Touraine regarde sa fille travailler et Marisol Touraine planche chaque jour sous le regard de son père. Avec gourmandise, le sociologue exigeant observe qu'il ne parvient à la joindre qu'après 22 heures, alors qu'elle bûche encore. Cet horaire le régale. En passant ainsi ses soirées à son bureau, elle lui ressemble.

D'elle, il suit chaque décision, chaque vote, chaque projet, chaque mesure, chaque chantier, il compte les échecs, les ratés. Et quand il critique avec talent et tant d'humour son chef de gouvernement et le Président, il fait comme naguère, quand il allait de bon matin tancer les profs et leur directrice. Trop de contraintes, pas assez de vision. Trop de règles, pas assez d'ambition. À l'entendre, sa fille est l'économe appliqué d'un royaume en perdition. Elle coupe, épluche, retire, supprime. Depuis son appartement au douzième étage, proche de Montparnasse, l'universitaire réfléchit, en caressant son chat câlin, cadeau de son fils. Il prévoit de passer prochainement au ministère lui parler de l'euthanasie, et il a d'ores et déjà invité deux spécialistes qu'il serait impératif qu'elle écoute. Marisol Touraine les recevra. Elle n'en a pas fini avec son père. L'œil aigu, la pensée critique, Alain Touraine glisse que son enfant ministre n'a « ni brio, ni séduction », qu'il lui manque une « séquence pathétique ». N'est-ce pas justement fort de résister aux sirènes de l'émotion pour gouverner comme elle le fait, effectivement peu soucieuse de plaire et méthodiquement attelée à l'endurante maîtrise technique de ses dossiers ? Le père n'en convient pas. Il a trop étudié la politique pour ignorer qu'on ne sait convaincre qu'en parvenant à toucher les cœurs. Il le lui reproche.

Lorsque Marisol devient mère à son tour, elle protège ses enfants de l'incommensurable exigence paternelle. Trois petits-enfants qu'Alain Touraine adore, avec lesquels il déjeune en tête-à-tête et dont, naturellement, il suit la scolarité avec attention. Pour eux, Marisol s'interpose, et le grand-père promet de les laisser être de leur temps, insouciants et désinvoltes. Puis il recommence. À Noël, il a offert à sa petite-fille un joli manteau Claudie Pierlot, marque branchée du 6ᵉ arrondissement. Il est content d'apprendre que la lycéenne le porte chaque jour et que ses copines n'en reviennent pas qu'elle l'ait reçu de son grand-père. Quelle chance d'avoir un grand-père qui achète du Claudie Pierlot ! Lorsque le frère de celle-ci, Gabriel, fut condamné à la prison ferme pour extorsion de fonds, Alain Touraine a tu ses critiques sévères. La protection du clan s'impose, viscérale. Avec sa fille, son gendre, ses petits-enfants, il présente le même front silencieux. Chez les Touraine, on sait se taire, ne pas pleurer. Ni lorsqu'on est affligé, ni lorsqu'on est fier d'avoir été choisi comme ministre.

Marisol Touraine convient qu'elle n'a pas affronté son père, mais elle assure être aujourd'hui parvenue à se « défaire de son emprise », un mot qui dit combien se libérer de cet amour autoritaire fut un travail. Depuis son maroquin, qui parachève une carrière de parlementaire reconnue pour son expertise, elle ne tente pas de lui échapper un peu. Elle accomplit son chemin politique comme elle vit sa filiation : certaine de décevoir, convaincue qu'elle ne saura jamais crever l'écran. Elle n'est pas, ne sera pas une mirobolante, elle ne sera pas séduisante comme sa mère. Elle accomplit son devoir avec rigueur et technicité. Elle ne sait pas faire autrement. Et le plus triste, c'est que même ce

3

SERGE et PIERRE MOSCOVICI
Père de son père

Trois ou quatre fois par semaine, Pierre Moscovici s'éclipsait de son bureau pour embrasser son père, soigné à l'hôpital Rothschild, un établissement choisi pour sa proximité. Tous les jours, où qu'il soit, quoi qu'il ait à faire, le fils téléphonait à son père. Chaque dimanche, le déjeuner fini, il quittait Marie-Charline, celle qui était alors sa compagne, pour se rendre auprès de son père. Jamais, d'ailleurs, il ne lui proposait de l'accompagner. Il rentrait deux heures plus tard et ne disait pas grand-chose de sa visite.

Pierre Moscovici est le fils de Serge Moscovici, grand intellectuel d'origine juive roumaine, mort en novembre 2014. « Un grand secret, peu de paroles. Un homme très souffrant pour qui tout était très lourd. Une relative absence, incapable d'être présent[1] », décrit son fils. Le père ne parle pas à ses deux garçons, ne joue pas au foot, ne fait pas de promenades ou de maquettes d'avions, ne nage pas, ne tape pas la balle de tennis. Quand il lui prend l'envie de faire quelque chose avec eux, il avance un plateau d'échecs sous leur nez et joue sans mot dire. Parfois, il pose un livre d'Alexandre Dumas sur le lit de Pierre, son aîné. Il ne demande pas au garçonnet de dix ans ce qu'il en a pensé, si l'histoire lui a plu. « Il fait de son mieux, il ne sait pas faire. »

Serge Moscovici naît en juin 1925 à Brāila, un village à l'est de la Roumanie, port sur la rive gauche du Danube, dans une modeste famille juive. Jeune garçon, il assiste aux ravages provoqués par la Garde de fer fasciste. Quand il a treize ans, les lois antisémites sont votées. Le bon élève est chassé du lycée de Bucarest. Interdit de scolarité. Trois ans plus tard, il échappe, tapi sur un pas de porte, aux pogroms qui s'abattent sur la capitale. Serge vit chez sa tante Anna, la sœur de son père. L'adolescent est embrigadé avec d'autres gamins juifs et affamés, il déneige les rues glaciales, fiévreux, grelottant. Puis le jeune garçon est embauché comme ouvrier à l'usine de métallurgie. Il a dix-neuf ans lorsque l'armée soviétique occupe

---

1. Entretien avec l'auteur le 6 février 2014. Toutes les citations pour lesquelles aucune autre source n'est spécifiée relèvent de cet entretien.

la Roumanie. Trois ans plus tard, se faufilant dans les camps de personnes déplacées, il quitte son pays et parvient à atteindre la Hongrie, l'Autriche, puis Paris. Serge, disciple amoureux de la langue française, se plaît dans la capitale, il se sent libre. En deux ans, il obtient une licence de psychologie, puis poursuit par un doctorat. Il crée et dirige le laboratoire de psychologie sociale à l'École des hautes études en sciences sociales, formant à ce domaine nouveau une génération de chercheurs renommés.

Pierre a treize ans lorsque ses parents se séparent. Serge Moscovici et Marie Bromberg, lui inventeur de la psychologie sociale et elle, psychanalyste lacanienne, divorcent. Ces sages esprits décident de laisser leurs enfants, de treize et onze ans, vivre entièrement seuls. Livrés à eux-mêmes dans un appartement loué. Le père leur rend visite, la mère leur dépose des repas à réchauffer. Une voisine, dont le fils Olivier est un grand copain de Pierre, colmate cet abandon. Elle les invite souvent à sa table et veille de loin. Jamais plus Pierre ne dormira sous le même toit que son père. « Jamais, depuis l'âge de treize ans, c'est tôt, non ? » Pour autant, Serge Moscovici forme des vœux pour son garçon. Il veut que celui-ci devienne ingénieur et fasse Polytechnique. Un rêve décalé, son fils n'aimant que la littérature et la philosophie, mais Serge semble ne pas noter son « blocage total » sur les maths et la physique. Pour la première fois de sa vie, alors qu'il est élève en classe de seconde, celui-ci le prend à part et lui parle. Il lui faut présenter un bac C, aujourd'hui S. Le lycéen obéit, trop content que son père exprime un souhait à son endroit, il n'ose même pas lui dire combien ce choix est parfaitement opposé à ses aspirations. Le sage Pierre obtient péniblement, au rattrapage, son bac C avec un 7 en physique et un 8 en maths, sauvé de justesse par sa note d'histoire. Cela accompli, il entre à Sciences Po puis poursuit en intégrant l'ENA, dont il sort en 1984, sixième au classement. Le jeune homme exulte. Il court vers une cabine téléphonique et appelle – dans l'ordre – Dominique Strauss-Kahn, qui fut son professeur, puis son père. Il ne se souvient pas avoir joint sa mère. Et que dit le père, directeur de recherche à l'École des hautes études en sciences sociales, enseignant à Princeton et Palo Alto, apprenant que son aîné a obtenu un si brillant classement dans une des deux meilleures écoles de France ? « Sixième à ton école de plomberie ? Tu aurais pu travailler. » Le plus fou, le plus triste, c'est que trente ans plus tard celui qui est devenu ministre, puis commissaire européen, précise que son père a raison, il n'a pas travaillé. Sage Pierre. À cinquante-sept ans, il compte que son père l'a invité deux fois à déjeuner. Deux fois dans une vie, c'est peu, non ?

soixante ans auparavant, pourchassa et persécuta horriblement sa famille. Dangereuse collision entre l'intime et le public. À Bucarest, il est reçu avec magnificence, les officiels ne tarissent pas d'éloges envers son père, louant la qualité de ses travaux universitaires et remettant au fils un journal de huit pages entièrement consacré à cette œuvre. Pierre sourit, Pierre serre des mains, Pierre opine. « Pendant tout ce temps, mon père ne cesse de me dire de ne pas les laisser entrer, qu'ils sont tous des voleurs, des escrocs, des antisémites. » Quand il lui rapporte le journal que lui dédie Bucarest, le père lui ordonne de le jeter. Il lui interdit de lui raconter sa visite. « J'ai fait l'adhésion de la Roumanie », conclut l'ancien vice-président du Parlement européen d'un ton qui donne à penser qu'il n'a guère eu le choix. Son père n'a rien dit cette fois.

Ayant raconté cet épisode, dont on mesure qu'il fut une épreuve, un tiraillement odieux entre devoir filial et contrainte professionnelle, Pierre poursuit avec cette anecdote de son enfance, qui éclaire étonnamment son parcours. Élève en CE2, il est deuxième de sa classe lorsque son instituteur le fait passer en cours d'année au niveau supérieur, en CM1. Les parents de l'élève classé premier s'insurgent ; pourquoi privilégier le deuxième et non pas le premier ? Marie, la mère de Pierre, riposte, elle défend son garçon. Serge, lui, comme à son habitude, ne dit rien. Quand son fils, un demi-siècle plus tard, évoque ce souvenir, il lui associe tout à trac cette remarque : « Je n'ai jamais voulu être le premier. Conseiller technique d'un cabinet, oui, mais ministre, jamais. Je ne suis pas prêt à tout pour la politique. J'ai fait beaucoup mais pas tout. Mon père ne s'est jamais senti reconnu par la France, je ne me suis jamais dit que je serais Président. » Pierre Moscovici dont on moque le dilettantisme, celui auquel on reproche de pas être acharné à défendre ses dossiers, le « dandy », le directeur de la campagne présidentielle de François Hollande en 2012, ne participe à la vie politique qu'avec méfiance. Son père y veille. Il fait carrière mais sans se donner pleinement, comme si son intelligence le portait à y briller mais ni son cœur, ni ses tripes à y croire. Il le dit, paradoxalement assis dans son bureau majestueux, au sixième étage de l'Hôtel des ministres, seul bâtiment ancien au sein de la citadelle Bercy : « Je n'ai pas d'histoire française. Mes grands-parents parlaient yiddish. Mon père ne m'a jamais imaginé faire ça. » Ça ? Deux fois ministre, député, député européen, commissaire européen. Mais, justement, la responsabilité politique reste « ça », un objet distant qu'on pointe d'un démonstratif dédaigneux. Et puis, comme il est étrange d'évoquer ici la langue que parlaient ses grands-parents, des grands-parents que l'enfant n'a jamais vus et dont il ignorait l'existence.

politique se met étrangement à balancer ses deux bras derrière sa tête. Unique geste qui le saisit au cours de ces longues heures d'entretien. « Une vie d'avant dont on ne parle pas. » En 1997, Serge Moscovici publie sa *Chronique des années égarées*[1], une somme, merveilleusement écrite, dans laquelle l'universitaire alors âgé de soixante-douze ans raconte sa vie pour la première fois. « Mon père a écrit ce livre pour moi et pour mon frère. » Sûrement, même si, dans les 572 pages, l'auteur ne les mentionne nullement. Deux absents auxquels ses mémoires ne sont pas même dédicacés. « Il me l'a donné en me le signant, il m'a dit que c'était pour moi. » Le père lui offre ce livre, lui donne son histoire dont il n'a jamais pu parler, il la lui tend. Le fils la saisit. « J'ai quarante ans. Je n'ai jamais pu le lire, je n'y arrive pas. » Le fils, incapable de lire l'histoire que son père a écrite pour lui dire ce que jamais il ne parvint à prononcer. Tragique impossibilité.

Qu'expliquent ces mémoires. Cette épopée des drames qu'infligèrent le nazisme et le stalinisme aux Juifs roumains n'offre pas seulement aux lecteurs un bouleversant témoignage historique, narrant la vie d'un jeune homme qui puise dans la littérature, le flirt et l'apprentissage du français la force d'oublier la famine, les rafles, les tortures.

---

1. *Chronique des années égarées*, Serge Moscovici, Stock, 1997.

Chronique des années égarées est aussi l'histoire d'un amour malade entre un fils et son père. Entre Serge et son propre père, Jean Moscovici. Et c'est peut-être cette malédiction, cette répétition impitoyable que Pierre, le fils et le petit-fils, ne peut lire. Comment en effet parvenir à lire l'histoire qui vous ronge en silence et qui en vous se répète ?

« Une des plus grandes chances que l'on puisse avoir dans sa vie est de ne pas avoir été heureux dans son enfance. J'ai été très malheureux », écrit en préambule Serge Moscovici. Ses parents divorcent alors qu'il n'a que six ans et se partagent leurs enfants. La fille va chez la mère, le fils chez le père. Serge ne reverra sa mère que trois ou quatre fois – « elle gardera pour moi le visage de l'énigme ». Le garçon suit Jean, son père, qui le confie tantôt à ses propres parents, tantôt à une belle-mère maltraitante, enfin à sa propre sœur Anna. Serge, petit garçon, veut aimer cet homme mutique et triste, à la beauté ravageuse, « mais toutes les fois où j'ai tenté de questionner mon père, j'ai ressenti la difficulté de lui parler. Parce que, au lieu de me répondre, il s'irritait que je lui rappelle ce dont il n'avait pas envie de se souvenir ». Une phrase troublante, tant elle pourrait avoir été prononcée par son propre fils des décennies plus tard.

Un jour, alors que Serge a neuf ans, sa mère surgit. Elle voudrait se réconcilier avec son ancien époux, mais leurs retrouvailles échouent. Égoïste et insouciante, la jeune femme ne lui explique ni pourquoi elle revient, ni pourquoi derechef elle l'abandonne. « Que feras-tu quand je serai partie ? » lance-t-elle en le quittant. Jamais elle ne reprend contact avec son fils et elle meurt sans l'avoir revu. Serge Moscovici a perdu sa mère deux fois. Il grandit, maladroitement aimé de son unique parent. « Il fut un mauvais père, un très mauvais père, mais un père fidèle jusqu'au bout. »

« J'ai grandi sous un grand secret, mon père ne disait rien, il n'a jamais rien dit », confie aujourd'hui Pierre Moscovici. Alors qu'il est encore un enfant, il ne s'étonne pas de ne pas avoir de famille élargie, ni grands-parents, ni cousins, ni oncles, ni tantes. « Je n'ai pas su que j'avais des grands-parents, je ne les ai jamais rencontrés. » En 1977, Serge apprend la mort de sa mère. Il contacte alors son père, et lui apprend qu'il a eu deux garçons. « Il lui a dit que j'existais quand j'avais vingt ans », affirme Pierre Moscovici. Ses proches sont convaincus du contraire, à savoir que jamais Serge n'a dit à son père avoir un fils, deux fils. Ces personnes qui aiment Pierre croient aussi que ce n'est pas un hasard si celui-ci n'est pas encore devenu père lui-même. Comment oser cet inconnu, comment risquer la paternité quand on est le fils d'un tel silence ?

Pierre Moscovici a tenté une psychanalyse. Contrairement à la plupart de ses camarades énarques, il respecte cette aventure intime. Il a été à bonne école puisque son père inventa la psychologie sociale et consacra sa vie à démontrer qu'on ne saurait réfléchir aux comportements économiques sans observer que les masses sont mues par des choix psychologiques. Son premier livre s'intéressait à *La Psychanalyse, son image, son public*. Quant à sa mère, Marie Bromberg, elle était psychanalyste, proche de Jacques Lacan, une intellectuelle sévère et féministe, militante ardente du parti communiste. Pierre a – quel paradoxe ! – entendu ses parents évoquer les ravages des non-dits, des secrets qui rongent l'âme et bloquent l'esprit. Pierre commence ainsi une analyse, mais l'interrompt après quelques semaines. Le jeune homme ne veut pas guérir des maux de son père.

Chez les Moscovici, grand-père, père et fils, le silence est un legs. Un poison. Pierre ne se rebiffe pas lorsqu'il vit à son tour le mutisme paternel. « Je sais qu'une partie de ma famille paternelle vit en Israël et je n'ai rien fait », dit celui dont les voyages officiels dans ce pays furent nombreux, les occasions multiples. Mais le fils peut-il trahir le choix de son père, pardonner l'abandon du grand-père, ébrécher leur mutisme ? Il s'interdit de réparer cette lignée brinquebalante. Il préfère se taire et soigner son père, qu'il aime et chérit.

Depuis qu'il est hospitalisé, Serge Moscovici ne se réveille plus la nuit pour le prévenir que les nazis ont fait irruption dans son appartement, qu'il doit fuir et leur échapper, et qu'il l'attend, caché dans l'armoire. Sur son lit d'hôpital, l'octogénaire très affaibli plaisante et se régale de chocolats. Alain Touraine, le sociologue et père de Marisol, son meilleur copain, lui rend souvent visite. Ensemble, les deux hommes évoquent les carrières politiques de leurs enfants, dont ils s'étonnent de conserve car l'un comme l'autre n'y croient guère. Alain rassure Serge, il lui dit que Pierre se débrouille bien. Serge répond que Marisol est bonne à son poste. Pierre pense que son père « a toujours été fier, mais ne l'a jamais dit ». Le vieil homme ne parvient pas à se souvenir du nom de l'actuel président de la République. Pierre le lui rappelle. Il rit en évoquant cet oubli récurrent.

Marie-Charline Pacquot, chercheuse en philosophie, est la première histoire d'amour qu'officialise le presque sexagénaire. L'étudiante de vingt-sept ans rencontre l'homme politique à Montbéliard, la ville dont elle est originaire et dans laquelle vit sa nombreuse famille. Lui en est alors un conseiller municipal et député de la circonscription. Ils sont présentés à la fin d'un match de foot. Elle rit encore de ne pas avoir très bien su alors qui il était, si ce n'est qu'elle se doutait qu'il était socialiste. Leur romance prospérant, Pierre Moscovici souhaite la présenter à son père, amateur de jolies femmes. Le couple choisit de se donner rendez-vous lors d'une des conférences que Serge donne encore avec un talent que l'âge n'a pas flétri. Marie-Charline arrive en retard. Elle s'assoit au premier rang, où sa silhouette détonne dans l'assemblée grisonnante. Pierre est placé ailleurs. Elle croit qu'il a prévenu son père de sa venue et donc de son existence. Elle le croit d'autant plus que Serge Moscovici la fixe tandis qu'il s'adresse au public. La conférence s'achève et Serge Moscovici, l'œil qui biche, le sourire qui sait y faire, s'avance vers la jolie blonde, la complimente, papillonne. Marie-Charline, convaincue qu'il sait qu'elle est alors un peu sa belle-fille, lui répond avec amabilité. Pierre les rejoint. Serge jubile de son avenante compagnie. Il présente la jeune femme à son fils, indiquant qu'il vient de l'inviter à dîner tant elle est charmante. Même ici, même au cœur de ce couple naissant, Pierre doit compter avec son père et lui laisser une place. Il est « si gentil, si absent, si structurellement incapable d'être père autrement que dans l'absence et la douceur », remarque le fils docile, l'amant qui n'a pas pris soin de prévenir son père qu'il avait lié son cœur.

« Il est une présence gazeuse et bienveillante », résume-t-il. Audacieux adjectifs pour qualifier un père. Juste pour décrire celui qu'on échoue à étreindre. Pierre Moscovici vit hanté par la souffrance paternelle, dont jamais il ne tente de se déprendre. On songe à cette parabole de l'Ancien Testament, dans laquelle le prophète Ézéchiel évoque ces fils qui ont des dents gâtées car leurs pères ont mangé des raisins verts. Ces fils qui, héritant des plaies de leurs pères, refusent de les panser afin d'en être dignes. Et en sont prisonniers.

4

XAVIER et MANUEL VALLS
La légende du père

Manuel Valls, l'homme qui fabrique son histoire, veille à ce que celle de son père s'accorde précisément avec l'image politique qu'il veut donner de lui-même. Le père, miroir du fils. Chez l'ambitieux ministre socialiste, choisi pour être le premier d'entre eux, il n'y a pas de confidence spontanée, pas d'anecdote qui surgisse comme un diable de sa boîte. Tout – et même la chaleureuse conversation qu'il accorde autour de ses souvenirs, trouvant pour l'occasion une voix nouvelle (la sienne ? moins hachée, plus coulante) – est lissé, contrôlé, calculé. Ce qui n'empêche pas qu'une grande part de son récit soit véridique, mais qui implique que l'intégralité de ce qu'il choisit de dire de son père doit lui être utile. À chaque souvenir, une fonction.

Son père n'étant plus là pour nuancer son récit, Manuel Valls peut à sa guise enjoliver la légende. En revanche, sa mère, Luisa Galfetti, pourrait dire autre chose de l'enfance du politicien. Attention, mère qui parle égale danger ! Par conséquent, il n'aura été possible de rencontrer ce témoin de la relation entre Xavier et Manuel Valls que dûment accompagné d'un membre aimable de la garde rapprochée, qui arrive à l'entretien dans une voiture de fonction, gyrophare éteint et policier au volant. L'émissaire du cabinet laisse la conversation plaisante s'écouler sans mot dire, mais sa seule présence, tandis qu'il boit son café serré sur le canapé de velours rouge, verrouille la spontanéité. Luisa Galfetti-Valls parle avec franchise, elle s'emporte, rit, tout en regardant le collaborateur dépêché, comme elle le ferait vraisemblablement avec n'importe quel invité, mais justement comme une dame bien élevée tient compte de ses hôtes, s'assurant qu'aucun de ses propos ne les froisse. Elle sait que la confidence maternelle s'inscrit dans un récit public, et que l'histoire de son mari doit servir au portrait de leur fils.

À son âge, Manuel Valls possède un trésor rare : la maison intacte de son enfance, à Paris. Les quelques pièces dans lesquelles il a appris à marcher, à écrire, à obéir sont inchangées, accessibles. Rue de l'Hôtel-de-Ville, au cinquième étage sans ascenseur d'un immeuble du XVIIe siècle, escalier étroit et tout de guingois, sol irrégulier qui trahit joyeusement l'âge des poutres, voici l'appartement familial. Derrière la porte d'entrée, une toile de jute étouffe les courants d'air, on pénètre directement dans le salon, qui sert tout à la fois de salle à manger et de bureau. Tomettes, murs blancs, peu de meubles. Une sobriété qui attire le regard vers la lumière puissante qu'offre cet étage surplombant la Seine, égarant la vue vers l'île Saint-Louis, Notre-Dame et l'infini des toits de zinc de la capitale. Nonobstant son confort modeste, le duplex est merveilleusement situé. Au fond du salon, séparé en deux par un rideau, une cuisine brinquebalante, qui jusqu'aux seize ans de Manuel fit office de salle de bains. Une baignoire y était installée, sur laquelle on posait une planche quand il fallait repasser le linge. Sa sœur Giovanna, d'un an sa cadette, et lui avaient chacun leur chambre au fond de la mezzanine de bois blanc qui couvre toujours une partie du salon. Lorsque, en 1978, ses parents obtinrent de louer l'étage en dessous du leur, ils agrandirent leur espace de deux chambres supplémentaires – la leur et celle de leur fille – ainsi que d'une salle de bains.

Xavier Valls est mort en 2006. Au milieu du salon trône son chevalet, sur lequel est posé un dessin de paysage du Tessin, sa boîte de couleurs disposée devant. À portée de main, un guéridon présente ses trois pipes et une boîte à tabac – pleine. Des reliques vénérées qui occupent toujours le cœur de l'appartement de la veuve. Sept ans après son décès, le père de famille paraît avoir quitté la pièce à l'instant. Au mur, un de ses tableaux représente Luisa, jeune femme aux yeux clos, baignée d'un bonheur calme. Son mari l'a dessinée enceinte de Manuel. « La plénitude[1] », se souvient-elle.

Lorsque, le dimanche, le quinquagénaire rend visite à sa mère, il parle peu. Il descend l'escalier circulaire qui mène aux pièces du bas. Il y furète des heures durant. Seul, il plonge dans ses souvenirs. Son téléphone est, comme rarement, silencieux, la politique mise sur pause, ses conseillers lointains. Lorsque sa mère s'étonne de ce qu'il peut bien fabriquer dans ces chambres qu'il connaît par cœur depuis cinquante ans, il lui explique que « là et seulement là il redevient lui-même ». Au cinquième étage de la rue de l'Hôtel-de-Ville, dans les pièces claires de sa maison d'enfance, le politique qui contrôle son image avec l'obsession du narcisse doué vient le dimanche se reposer de son rôle de scène. Dans l'escalier, il a ôté sa carapace. À sa mère aimée, il ne dit pas à quoi il pense quand il ne pense à rien.

Xavier Valls est espagnol. Luisa Galfetti, son épouse, de quinze années sa cadette, une Suisse-Italienne native du Tessin. Ce père catalan permit

---

1. Entretien avec l'auteur le 6 mars 2014. Toutes les citations pour lesquelles aucune autre source n'est spécifiée relèvent de cet entretien.

à son fils de construire une histoire formidable : l'homme qui se fit apprécier des Français en dirigeant sa police et surveillant leurs frontières serait un immigré, né d'un père ayant fui le franquisme. Un récit riche en sous-titres. On est en effet prié d'y lire que, primo, son républicanisme musclé ne saurait ressembler à celui de la droite sécuritaire puisqu'il porte en héritage le combat paternel contre la dictature et que, secundo, fils de deux étrangers, ayant lui-même dû attendre d'avoir dix-neuf ans pour obtenir sa naturalisation, il aurait toute légitimité pour contrôler le flot des clandestins. Le récit sert de blanc-seing et légitime d'une touche sensible sa politique ferme. Un joyau dans l'art du storytelling.

Si Magi Valls, le grand-père, est en effet une victime du franquisme et de la guerre civile espagnole, Xavier ne l'est que dans une moindre mesure, par ricochet. Magi Valls hérite d'une petite banque familiale, qui fait faillite en 1920. Licencié en philosophie, il fonde un journal démocrate-chrétien[1]. Lorsque la guerre civile entre républicains et nationalistes embrase le pays, la famille, républicaine catholique, prend des risques, elle cache des hommes d'Église poursuivis par les anarchistes. La dictature franquiste frappe durement Magi, qui perd la direction de son journal, ses revenus et jusqu'à son passeport.

---

1. *Manuel Valls, les secrets d'un destin*, Jacques Hennen et Gilles Verdez, Éditions du Moment, 2013.

L'argent lui manque pour assurer le quotidien de ses six enfants. Son dernier-né, Xavier, quitte l'école à treize ans, il part travailler dans un atelier de joaillerie et, le soir, reçoit des cours de dessin donnés par un oncle puis par un ami sculpteur. En 1949, le jeune artiste profite d'une bourse pour se rendre en France, et la liberté qu'il y trouve le convainc d'y faire sa vie. Incontestablement, le franquisme a ruiné ses projets d'études, il a imposé à cette famille bourgeoise une rude et injuste déchéance. Ce régime pèse et muselle ces intellectuels généreux et ennemis de la pensée totalitaire, qu'elle soit de droite ou de gauche. Pour autant, malgré ces lourds sacrifices, Xavier Valls, ce père catalan, n'a ni combattu le franquisme – il est trop jeune – ni même à proprement parler « fui » cette dictature, puisque toute sa vie il voyage entre Paris et Horta, la banlieue de Barcelone où il est né, s'est marié, a acheté une maison, où sont nés ses enfants et où il mourut. Si quelques envolées lyriques attisées par le feu d'un discours public pourraient induire autre chose, Manuel Valls convient, dans le calme d'un livre d'entretiens, que son père « n'était pas un réfugié politique, mais un jeune homme fuyant la chape de plomb culturelle du franquisme[1] ». Il n'a jamais franchement menti sur l'histoire de son père, mais il s'en sert. Beaucoup.

---

1. *Pour en finir avec le vieux socialisme... et être enfin de gauche*, Manuel Valls, entretiens avec Claude Askolovitch, Robert Laffont, 2008.

74

À la table des Valls, dans l'appartement du Marais parisien, la guerre espagnole s'invite à chaque repas. « Tous les jours de sa vie, mon mari a parlé de la guerre civile », raconte Luisa Valls. L'enfance de Giovanna et Manuel est nourrie des récits terrifiants de leur père, qui leur raconte sans cesse les folies des anarchistes et les crimes des franquistes. Une conversation sombre qui plombe l'insouciance de ces petits Parisiens. Il en est de même lorsque les époux Valls reçoivent leurs nombreux amis, tous intellectuels et artistes, avec lesquels, toute la nuit, ils dissertent. Ensemble, ces esprits ardents jouent la controverse, échangent des piques, se fâchent puis s'étreignent. Le pianiste espagnol Federico Mompou, le philosophe Vladimir Jankélévitch, l'acteur et écrivain José Bergamín, Alejo Carpentier, l'ambassadeur de Cuba à l'Unesco et Jaime Valle-Inclán, le fils du grand écrivain Ramón Valle-Inclán, sont leurs intimes. Parmi eux, Xavier choisit comme parrain pour son fils aîné Carlo Coccioli, un écrivain italien et homosexuel, dont l'œuvre analyse la souffrance de ceux qui croient. Choix savoureux pour baptiser son enfant dans la religion catholique. D'ailleurs, le parrain n'assiste pas à la cérémonie. Il se soucie peu de ce filleul, auquel jamais il n'offrit un cadeau ou ne rendit une visite. Voici peu, un voisin a interpellé le ministre, alors Place Beauvau, et lui a tendu une liasse de lettres écrites par Coccioli, son parrain. Le ministre les lit, cours de la peseta, ils peuvent descendre au Ritz. Ils s'en amusent et le racontent à leurs enfants éblouis. Ces parenthèses ne suscitent aucun regret, aucune amertume. L'argent les indiffère. Xavier Valls peint au milieu de l'appartement, dans l'unique pièce commune, qui sert de passage vers toutes les autres. Or quand il peint, très lentement, il faut se taire, ne pas le déranger, ne faire absolument aucun bruit. Il impose aux siens un silence rigoureux, mêlé de crainte respectueuse. Manuel s'y plie. Le garçonnet est discret et toujours obéissant. Il ne s'approche pas du chevalet, ne pose pas les doigts sur la boîte de peinture, ne joue pas avec les pinceaux. Un jour, il lui est dit de ne pas s'aventurer à poser la main sur le poêle qui chauffe la maisonnée et, depuis lors, jamais le garçonnet ne s'y risque. Il est sage. La vie des deux enfants et de leur mère est commandée par les travaux du père, qui tous les jours, hormis le dimanche, peint. Après l'école, pour ne pas le déranger, on se promène dans les jardins de l'archevêché. Quand, le mercredi et le samedi, il n'y a pas classe, le trio passe la journée à marcher dehors. Lorsqu'il pleut, les enfants restent dans leur chambre, attentifs encore à n'y pas faire de bruit. Le samedi soir, les quatre Valls écoutent des émissions de radio sur Paris Inter. Ils frissonnent en entendant Claude Villers raconter le naufrage du Titanic ou d'affreux crimes de sang. Puis, le dimanche, Xavier Valls pose ses pinceaux. Il est parler, le visage tourné vers la lumière. Alors que ses pieds le chatouillent, que son cou lui fait mal, l'enfant garde la pose, si fier que son père le prenne pour sujet. Le supplice est un honneur. « J'étais fier, mais c'était une épreuve physique, je souffrais, et lui peignait sans me dire un mot[1]. » À quatorze ans, il pose de nouveau. Ce *Retrat de Manuel*, qui fut exposé en 2010 au musée de l'Orangerie lors d'une rétrospective prophétiquement nommée « Les enfants modèles », il l'a accroché dans son bureau ministériel de la place Beauvau. « C'était une relation particulière que de poser pour lui, car il prenait du temps et son objet devait être bien positionné. » L'objet Manuel se positionne toujours bien. Quand le grand-père peindra le fils aîné de Manuel, Benjamin, dont d'ailleurs il ne comprit jamais pourquoi il fut nommé ainsi alors qu'il était le premier-né, ce sera sans imposer ces interminables séances de pose. Il le peindra d'après une photographie.

Il est une autre activité que le père et le fils partagent dans un silence tout aussi absolu : les échecs. Sur un boîtier en bois et ivoire, un échiquier de poche que Xavier tient de son propre père, ils jouent de longues parties. L'aîné ne fait pas de cadeau à son fils, il le laisse perdre, lui enseignant à encaisser la défaite. Manuel apprécie ces instants de

1. Entretien avec l'auteur le 12 février 2014. Toutes les citations pour lesquelles aucune autre source n'est spécifiée relèvent de cet entretien.

rare exclusivité dans le temps paternel. Il y prend tellement goût qu'il se met à jouer aux échecs par échange de cartes postales. Et non pas avec un camarade de classe, un enfant de son âge, un voisin du quartier, mais avec Jaime Valle-Inclán, l'ami du père. Sage Manuel. Jeune homme, il perpétue les amitiés de son père. Lorsque celui-ci fut trop vieux pour partir quelques jours en randonnée – en camping sauvage – dans les hautes montagnes des Pyrénées, le fils prend la relève. Il part marcher avec les vieux compagnons.

« Mon père nous aimait beaucoup, mais pas plus que cela. L'essentiel pour lui était ma mère, dont nous étions en quelque sorte le prolongement obligatoire. » S'il importe pour un enfant de se savoir être né de l'amour de ses parents, alors le fils de Luisa et Xavier dispose de ressources psychiques solides. Ses parents forment un couple fusionnel, né dans l'adversité. Les parents de Luisa refusent en effet que leur fille, à peine âgée de dix-neuf ans, institutrice, se marie avec un Espagnol désargenté se piquant de peinture et de restauration de vitraux, de surcroît bien plus âgé qu'elle. Qu'à cela ne tienne, Xavier enlève la jeune fille et l'épouse. Luisa évoque aujourd'hui encore les lettres furieuses que sa mère lui adressa pour lui dire son opposition à ce mariage. La naissance de Manuel a raison de cette hostilité. L'enfant répare la faute.

Si Luisa est pour ses enfants une mère disponible, aimante, et entièrement dévouée à leur éducation, elle veille essentiellement à ce que leur présence ne gêne pas le travail de son mari. C'est elle qui suit la scolarité et se félicite que son fils soit, en primaire, un bon élève. Le père se fiche un peu de l'école, qu'il dut quitter si tôt. Lorsqu'au collège les notes de son fils s'affaissent, Xavier ne manifeste rien. Son fils transforme ce désintérêt en un glorieux appétit d'indépendance que l'artiste lui aurait légué. « Lui comme moi n'avons jamais été des sujets de l'école, je reproduis son système à lui, j'ai suivi. »

L'adolescence du garçon – et de sa sœur – est marquée par un fâcheux épisode. À l'automne 1979, la petite famille rentre de ses vacances d'été passées comme chaque année dans leur maison de Horta, proche de Barcelone. Elle découvre son immeuble vidé, tous les locataires expulsés, chaque porte scellée sauf la sienne. L'immeuble appartient à la régie immobilière de la Ville de Paris, qui entame des travaux pour le mettre en conformité avec les normes de confort et d'hygiène requises. Les Valls, valises à la main, entrent dans leur appartement envahi de souris. Ils y trouvent un avis d'expulsion. Xavier est effondré, car la lumière unique qu'offre cet endroit est sa source d'inspiration, le moteur de son art. Il s'écroule. Luisa monte au front. Aidée d'un avocat, elle dépose des recours et organise leur nouvelle vie rue François-Miron, où ils sont relogés d'office pendant un an et demi. Des mois tristes, tendus, suspendus aux courriers, aux relances, au procès. Ils obtiennent gain de cause et, tandis que tous leurs voisins ont préféré le relogement et des conditions de vie bien plus confortables, les Valls rentrent chez eux, rue de l'Hôtel-de-Ville. Rescapés. Cet épisode est un traumatisme pour le père de Manuel. « Un choc terrible, mon père est très sensible, hypocondriaque, il n'est jamais sorti de cette dépression. » Alors que le gamin traverse les tumultes de la puberté, qu'il piaffe d'être grand, son père s'écroule. Il ne guérira pas, ou si peu. La figure paternelle, jusqu'alors pivot respecté et redouté de la famille, se fissure tandis que le fils unique devient un homme. Ses notes témoignent de son malaise, il obtient à son bac de français un misérable 5 sur 20 et ne décroche le bac que grâce à l'espagnol en option. Il s'inscrit en faculté de droit à l'université de Paris-Tolbiac, puis bifurque vers l'histoire, la passion du père. Des études banales, conformes à ses résultats scolaires peu glorieux, qu'il compense en s'inscrivant au parti socialiste, au sein duquel il se dépense avec rage.

Grâce au mouvement étudiant, Manuel découvre le combat politique, la prise de parole publique, les luttes d'appareil, les ruses des motions. Il se régale de tout ce que son père déteste. « Il est surpris que je m'engage. Il est inquiet sur ce que cela peut représenter comme privation de liberté de penser », se remémore l'homme qui, toute sa carrière, bousculera les dogmes du corpus socialiste, allant jusqu'à proposer de le débaptiser. Lorsque l'étudiant prend la direction de Forum, club des jeunes rocardiens, il donne à ses camarades le numéro de téléphone de la maison en les suppliant de ne pas appeler dans l'après-midi pour ne pas déranger son père. La consigne est peu respectée. Xavier gronde. « Mon engagement l'agace. » Manuel persiste. Il est grand et son père est faible. « À ce moment-là, notre fils nous échappe, il mange et dort avec nous, mais on ne sait plus qui il voit, ce qu'il pense. Il est parti », confie sa mère. Xavier, qui a tant fait de l'histoire violente de son pays une passion et un sempiternel sujet de conversation, comprend pour partie le choix de son aîné. Toutefois, cet homme à l'indépendance ombrageuse est surpris – déçu ? – que son garçon se soumette si volontiers à un appareil, des consignes, une hiérarchie. Manuel poursuit sa carrière, mais il s'applique à rendre hommage à la statue paternelle en affirmant avoir reçu de lui son goût de la transgression. Il veut lui ressembler : « Catholique, il se méfie du clergé. Doté de convictions politiques fortes, il n'a jamais milité. Anarchiste de droite, proche des grands partis catalans, il se méfie du sectarisme, de la mesquinerie. Mon père n'est jamais petit. » Et le fils d'un tel père ne saurait l'être à son tour… À vingt-quatre ans, les AG, les amphis, les discours, les manœuvres. « Il s'est protégé », dit sa mère. Un comportement bien compréhensible pour un jeune homme, dont le rôle premier ne saurait être d'aider sa sœur à vivre. Giovanna, sevrée, trouvera la paix en veillant sur son père, dont l'agonie dure deux mois. Seuls à Horta, ils se réconcilient. Manuel arrive à temps pour dire au revoir à son père.

Xavier Valls est un homme élégant, d'une distinction surannée. Il marche avec une canne et porte beau. Lorsqu'en mai 2001 Manuel est élu maire d'Évry, ses parents lui manifestent leur joie… en décalant de quelques heures leur départ annuel pour l'Espagne et la maison de Horta. Le comble du cadeau, cette révolution des habitudes paternelles. Depuis la naissance de Manuel, son père passe dans sa maison catalane quatre mois par an, et jamais rien ne lui fait déroger à ce calendrier. Lorsque ses enfants sont scolarisés, il n'attend pas le début des vacances officielles à la mi-juin, il les embarque dès la fin mai et ne les ramène que fin septembre, quand bien même tous leurs camarades sont rentrés deux semaines plus tôt. Xavier Valls et la Catalogne exigent leurs seize semaines communes. Tant pis pour l'école et ses petitesses. Ce soir de mai 2001, Manuel comprend que son élection à la tête d'une commune française est importante aux yeux de son père parce que celui-ci, la voiture chargée de valises, passe la soirée des résultats auprès de lui et non sur l'autoroute vers l'Espagne. La fête finie, Xavier et Luisa s'en vont. Pour la seule fois de leur vie, ils dorment à l'hôtel près d'Auxerre, contraints de ne pas rejoindre Horta d'une traite. « Dans ses yeux, j'ai lu sa fierté », se souvient l'ancien maire. Dans son regard, dans son voyage retardé, dans cette unique nuit d'hôtel forcée, le fils devine l'admiration du père. Pas dans ses mots, ni dans son étreinte. À chaque étape de sa carrière, il en va de même. Xavier n'exprime guère ses louanges. Il offre à son fils un tableau, toujours un dessin ou une aquarelle. Jamais d'huile. « Sa fierté s'exprime ainsi, c'est la forme que prend son admiration. » Lorsque Manuel Valls entre au ministère de l'Intérieur, sa mère perpétue la tradition et lui offre le *Retrat de Manuel*, peint en 1976. Ce faisant, elle l'inscrit dans la lignée. Elle lui signifie qu'il est, bien que chef de la police, le fils de son père, cet anarchiste de droite, vibrionnant intellectuel, esprit libre et rebelle.

Manuel Valls s'agace de lire dans la presse que, lors de son élection à Évry, son père, vêtu d'une cape noire, le visage de marbre, aurait, sa canne à la main, assisté muet aux festivités, ce dont témoignent pourtant quelques participants. Ces souvenirs pourraient donner à penser que le père n'aurait pas pleinement apprécié le succès politique du fils. Celui-ci s'applique donc à gommer cette toute petite tache. Il glisse au détour d'une phrase, subrepticement, que son père, victime d'un accident de charrette, en aurait gardé une paralysie faciale. Ce qui expliquerait son visage fermé. Pourtant, l'accident eut lieu en 1937 et son père, gravement blessé, mit quelques semaines à recouvrer la santé. Quelques semaines, et non des décennies. Luisa Valls n'évoque pas cette séquelle, ce reste de paralysie. Sans que la question lui ait été posée, elle rit qu'on puisse dire que le père de Manuel aurait été triste, sévère, mutique. Elle saisit une photo en noir et blanc prise ce fameux soir en mairie d'Évry. On y voit Manuel, ceint de l'écharpe tricolore, qui rit, ses deux petits garçons qui applaudissent, hilares, sa première femme, Nathalie, radieuse, et Xavier, tout sourire, la chemise blanche ouverte de trois boutons, qui affiche un air heureux. Elle précise que son époux n'a jamais porté de cape noire. Quelle idée ! La figure du père ne saurait assombrir le récit de vie du fils. La mère les accorde. Généreusement.

Manuel Valls aime son père. Il dit combien cette personnalité puissante et rigoureuse lui manque. Il lui rend hommage pour lui avoir enseigné la culture, la peinture, la littérature, l'esprit de liberté et « l'idée qu'on ne puisse pas se laisser enfermer dans des pensées uniques, qu'il faille sortir des chemins balisés ». Un père dans l'héritage duquel il dit avoir puisé le goût du débat et de la discussion. Le fils sage n'a jamais affronté son père. Il

5

JEAN-MARIE et MARINE LE PEN
Sur la bouche

La journée de cours au lycée Florent-Schmitt de Saint-Cloud achevée, Marine et ses deux meilleurs amis s'arrêtent à la boulangerie, y achètent trois pains au chocolat et trois cents grammes de chouquettes puis filent vers le parc de Montretout. Haute grille de fer forgé, route pavée, silence cossu. Au numéro 8, surplombant majestueusement la capitale, la maison des Le Pen est une immense demeure, construite par Napoléon III, qu'entoure un parc d'un demi-hectare ceint de multiples dépendances. Le fondateur du Front national en hérita à la mort, en 1976, d'Hubert Lambert, le quadragénaire et maladif fils unique, sans descendance, d'une famille qui fit fortune sous le Second Empire, dans l'exploitation de carrières et de plâtrières.

La chambre de Marine est au second étage de ce manoir imposant. Les trois adolescents grimpent quatre à quatre le vaste escalier recouvert d'un tapis rouge. Ils pouffent dans les couloirs. Derrière les portes à doubles battants travaillent les fidèles de Jean-Marie Le Pen. Parvenus dans leur refuge, les gamins jettent leurs sacs, ferment la porte. Assis par terre, mâchouillant leurs chouquettes et buvant de l'Orangina au goulot, ils papotent, moquent leurs professeurs, sauf celui de français, qu'ils aiment bien. Perfecto noir, crâne rasé, moustache à la YMCA, cet enseignant les emmène souvent au théâtre. Dans leur classe, certains pensent qu'il est homosexuel. Ils n'en ont cure. Ils parlent peu de leurs affaires de cœur, bien que Marine ait un amoureux, un type un peu fade qui redouble sa seconde et qu'elle leur a présenté. Elle paraît peu s'en soucier, elle lui préfère toujours sa « bande de potes ». Seuls au monde au dernier étage de la villa Montretout. Ils ont dix-sept ans.

Personne ne les dérange, ne leur demande de se mettre à leurs devoirs, ne vient s'enquérir de la note obtenue au contrôle de maths. Trois sauvageons heureux, qui devisent et avalent leur goûter. Aux murs de sa chambre, Marine a collé des dizaines de pages découpées dans des magazines féminins. Photos de mannequins, publicités pour des parfums. Étonnant pour une gamine qui ne paraît guère s'intéresser à la mode, mais l'adolescence s'encombre peu de cohérence. Marine est rigolote, vive. Très garçon manqué, toujours en jean, tee-shirt et santiags. Au lycée, depuis qu'elle a reçu sa Motobécane 50 cm^3 avec guidon droit, elle assure. C'est tellement la frime, quand les plus chanceux se contentent d'une mobylette Peugeot 103. Cette Motobécane à guidon droit, Marine l'a réclamée deux jours de suite à son père. Il a rechigné. Trop dangereux, les virages de Saint-Cloud. Marine a insisté. Elle sait y faire. Le troisième jour, il a cédé. Il a du mal à refuser quelque chose à sa dernière fille, surtout depuis que Pierrette, sa femme, les a quittés, emportant dans sa fuite, outre ses malles de vêtements Courrèges, l'œil de verre de son époux, qu'elle espère monnayer contre l'urne des cendres maternelles, enterrée dans la propriété. Lorsque sa mère se volatilise en 1984, Marine vomit tous les jours pendant un mois et demi. Elle n'en parle pas avec ses copains de chouquettes et d'Orangina. Ils savent pourtant que les parents de leur copine divorcent tumultueusement, ils lisent les journaux. Ils ne lui posent pas de questions. Marine fait front.

Elle est en classe de première, ses sœurs aînées vivent ailleurs ; Marie-Caroline, vingt-cinq ans, travaille au service de la communication du Front national et Yann, vingt et un ans, véliplanchiste, est employée au Club Med. Bientôt, elle reviendra au bercail, sa direction ne supportant plus l'émoi que provoque son patronyme au bord des piscines azurées. Pour la première fois de leur vie, le chef frontiste s'adresse à sa cadette en tête-à-tête. Il l'avertit que le lendemain, le 12 février 1985, le quotidien *Libération* révélera qu'il a torturé pendant la guerre d'Algérie. « Ça va tanguer sec[1]. » D'ailleurs, si elle le souhaite, elle pourra sécher les cours. Il est fier de se souvenir, trente ans plus tard, que sa fille a bombé le torse et levé les poings vers le ciel. Il imite son geste, le regard ému. Lorsque Marine arrive au lycée, une foule curieuse l'observe, massée devant l'entrée. Elle fend ses rangs, tête haute, mâchoire serrée. Ses deux amis se disent qu'elle a du cran. « Elle est hyper grande gueule, elle en impose, jamais un seul élève n'osa l'apostropher », dit l'unique garçon du trio. Le soir, comme à leur habitude, ils se sont réfugiés dans sa chambre au dernier étage, ils ont bien ri. Ils n'ont pas parlé de l'Algérie. Ils savent que le père de leur copine fait de la politique, mais cela ne les intéresse pas. Et puis, Marine « s'en fiche totalement », de la politique.

« Alors qu'on passait quasiment toutes nos soirées chez Marine, j'ai dû croiser son père moins de deux fois », se remémore ce camarade. « Son père est absent, chez eux, il n'y a pas de règles, pas

---

1. Entretien avec l'auteur le 18 juillet 2014. Toutes les citations pour lesquelles aucune autre source n'est spécifiée relèvent de cet entretien.

d'horaires », corrobore Sandrine, la seconde fille du trio. « Quand il est là, il est du genre à ne pas la gronder en découvrant qu'elle fume, il ira plutôt lui chercher un briquet. » La maison Le Pen est un moulin. Personne ne surveille Marine, ne lui impose de règles, ne signe ses carnets de liaison. Personne ne lui achète les baskets qu'exige son professeur d'EPS depuis trois semaines. Quand sonnent les 19 heures, ses deux amis la quittent. Marine trouve leurs obligations familiales exotiques. Parfois, elle les accompagne et dîne chez eux. Le plus souvent, elle reste dans sa chambre puis descend avaler, seule, le repas que Dany, sa fidèle gouvernante, lui aura préparé. Il lui arrive de toquer au premier étage à la porte du bureau de son père. Vaste pièce, canapé, deux bergères Louis XVI, une longue-vue de marine orientée droit sur la capitale, comme si le capitaine des lieux projetait d'y accoster. Si Jean-Marie Le Pen est à sa table, ils bavardent. Il est rarement là. La politique, c'est une enfilade de meetings, de salles municipales, de congrès, de bagnoles, de voyages. Un métier de bateleur. Pas un métier de père de famille. Marine grandit toute seule. Et cette solitude, dans laquelle leur jeunesse croit reconnaître de la liberté, ses copains la lui envient grandement. « Montretout, c'est une colonie de vacances », raconte Sandrine. Dans les couloirs, les gamins croisent des chanteurs, des acteurs, des vétérans, des marins, des hommes qui parlent

Partager tant d'heures avec lui. Découvrir ce pour quoi il n'est jamais là, ceux pour qui il disparaît si longuement. « Cette semaine fut, à bien des égards, un choc[1] », dit-elle. Le choc n'est pas de nature politique, car le combat idéologique est dévolu à sa sœur aînée, l'héritière Marie-Caroline – tout du moins jusqu'à ce que celle-ci, en 1998, embrasse la cause félonne mégretiste –, mais un bouleversement affectif. Marine, la préférée, la petite, la rigolote, découvre cette semaine-là qu'il existe un chemin, le seul possible, pour s'approcher de ce père qui se dérobe. Qu'il y a un moyen pour qu'il ne lui échappe plus. « À ce moment j'ai réalisé, même sans en avoir encore pleinement conscience, que cette relation père-fille, c'était en réalité à moi de la construire. Je me suis rendu compte que je n'arriverais jamais à faire venir mon père sur mon propre terrain, celui de mes activités, de ma scolarité, de mes amis, parce que ce terrain-là, comme celui de mes sœurs, était terra incognita, le pays des enfants. Donc il fallait que je me rende sur le sien. Il n'avait sans doute pas la disposition, et encore moins le temps, de se consacrer à la découverte de ses propres filles. Aussi le seul moyen de créer des liens autres qu'affectifs avec lui était d'aller à sa rencontre. C'est un peu comme cela que, au fur et à mesure, par intérêt personnel, mais aussi pour le

---

1. *À contre flots*, Marine Le Pen, éditions Grancher, 2006.

découvrir, je me suis aventurée de plus en plus loin sur son terrain, donc sur celui de la politique[1] », écrit-elle dans son autobiographie. Un an après cette semaine d'initiation à la politique et surtout de complicité entre le père et sa fille, la mère de Marine quittera leur famille. Elle abandonnera sans un mot, sans une lettre, sans un appel téléphonique pendant quinze années la plus jeune de ses filles, qui, mineure, réclamera devant les tribunaux le droit de garde pour son père. Marine vivra seule en compagnie de ce père perpétuellement absent qu'elle adore et qui est désormais, pour longtemps, son seul parent. Marine, traînant ses santiags dans les couloirs de Montretout, songera avec bonheur que, durant cette semaine de campagne munici-pale, elle l'a eu tout à elle. « En fait, beaucoup plus qu'une relation père-fille classique, c'est vraiment une relation de personnalité à personnalité qui s'est peu à peu établie entre nous[2]. »

Dans son bureau, encombré de piles de livres, le président d'honneur du Front national nous reçoit. Disert, il soliloque bien volontiers sur les liens qui l'unissent à Marine. Il sait que celle-ci a refusé de nous parler de lui, d'eux, de leur lien féroce et tendre, et sa gêne l'amuse, lui qui n'a pas eu à chercher son père. Il hausse les épaules quand on

---

1. *Idem.*
2. *Idem.*

lui fait observer qu'il fut pour ses filles obstinément absent. « Cela explique qu'elles aient du mal avec les garçons. » Le patriarche file une métaphore scabreuse, comparant les échecs matrimoniaux de ses trois filles avec les difficultés qu'ont les secrétaires à trouver un mari, tant elles sont amoureuses de leur patron, en comparaison duquel tout béguin paraît fade. Il se flatte qu'elles n'aient pu trouver d'homme apte à lui succéder en leur cœur et ne semble point embarrassé du relent incestueux de ce constat. À quatre-vingt-six ans, l'élu frontiste n'a pas la mémoire oublieuse, mais le souvenir sélectif. Aussi peine-t-il à se remémorer quelle sorte de père il fut. Des jeux, des balades, des chasses au trésor, des cadeaux ? Oui, pour les neuf ans de Marine, il a longuement cherché – et trouvé – la paire de poupées baigneurs dont rêvait sa cadette. Une autre année, il a secrètement installé un talkie-walkie dans le sapin pour lui faire croire que le père Noël lui parlait sous sa hotte. Il n'évoque pas les deux autres Noël où ses enfants apprirent que leurs parents ne reviendraient pas réveillonner avec elles. Une croisière qui s'éternise, du mauvais vent pour rentrer. Elles l'ont célébré avec leur gouvernante d'alors, Nana, douce Bretonne qui les servit dix ans, et le compagnon de celle-ci, un boxeur. « Chez les marins, les pères sont absents », résume, badin, Jean-Marie Le Pen, qui n'aime rien tant que psalmodier la commode légende des mers et de voilà plantées là devant un chocolat chaud mais chez des inconnus. Quand on vit un tel événement, on souhaite avoir ses parents près de soi, mais eux étaient ailleurs[1] », se souvient la cadette. Le soir venu, Pierrette et Jean-Marie Le Pen se rendent à une soirée organisée pour les élections américaines. Marine, huit ans, se couchera sans eux au domicile d'une famille amie. Après l'attentat, sa vie ne change guère, ses parents continuent de l'envoyer toute seule à l'école. Aller-retour, qu'il pleuve ou fasse nuit. L'enfant fait des cauchemars, elle comprend que certains planifient la mort de son père. « Je suppose que je n'arriverai jamais à me libérer de cette peur pour lui, inscrite dans la chair de la petite enfance[2]. » Une inversion des rôles, entre le parent protecteur et l'enfant protégé, que la cadette endosse sans coup férir. Elle se débrouillera sans lui, craignant pour lui, ce père qui n'est pas là.

À quinze ans, à l'occasion d'une campagne pour une élection partielle à La Trinité-sur-Mer, ses parents s'absentent six semaines et laissent Marine se débrouiller, seule encore, dans la gigantesque bâtisse, dont le faste de l'époque Lambert est un souvenir que nul ne prend la peine de rafraîchir, et dont les réparations sont confiées aux permanents du parti qui, de bonne

---

1. *Le Pen. Fille & père*, Christiane Chombeau, éditions Panama, 2007.
2. *À contre flots*, op. cit.

grâce, dévissent un radiateur, colmatent une fuite ou scellent un carrelage. Que ne ferait-on pas pour servir ce chef qui confond la politique et la famille, sa maison et son bureau, ses filles et ses militants ? L'adolescente, provisoirement abandonnée, est sérieuse. Elle se rend au lycée, fait ses devoirs. Le samedi, elle invite des copains pour des soirées chips-télé dans le salon aux canapés de velours bleu roi à pompons dorés. « Je me retrouvais donc fréquemment livrée à mon sort[1]. » En revanche, il est un point dont se soucie son père : Marine n'a pas le droit de prendre les transports en commun. Taxi, oui. Métro, jamais. Motobécane, oui. Train vers Paris, alors que la gare est à cent mètres, interdit.

Jean-Marie Le Pen bougonne que l'enfance de ses filles a dû être heureuse, sinon « on me l'aurait dit ». Les souvenirs lui manquent. En revanche, le fondateur du Front national raconte avec une tendre précision Jean Le Pen, son propre père. Un « sacré bonhomme ». Quand éclate la Première Guerre mondiale, le père de celui-ci, Pierre Le Pen, est aussitôt mobilisé. Marie, « femme d'un pêcheur qui ne pêche plus », doit se débrouiller pour nourrir leurs enfants. Elle disperse les plus grands ; l'aîné travaille comme groom à Londres, le deuxième embauche dans une tuilerie, et

---

1. *Idem.*

Jean Le Pen, treize ans, fait son baluchon. De La Trinité, le petit Breton prend seul le train pour Paris ; à Calais, il traverse la Manche puis embarque à Ipswich, port de Grande-Bretagne, sur *Le Duquesne*, un trois-mâts cap-hornier. Un exceptionnel tour du monde pour le jeune garçon, qui en reviendra éprouvé et fier. Sur les quais des ports bretons, un cap-hornier est un aristocrate. À son retour, son frère le fait embaucher comme garçon de café au Crillon. Jean Le Pen y sert un an en queue-de-pie et cravate blanche et, s'il n'aime guère la vie de palace parisien, il en conserve toutefois le goût des belles toilettes. « Il est toujours en bourgeois, mon père », se souvient son fils, vêtu comme à son habitude d'une chemise monogrammée. Il le décrit portant manteau et chaussures de daim, distribuant, en échange de baisers, des dragées aux passantes émoustillées, tandis que ses camarades traînent en vareuse. Revenu à La Trinité-sur-Mer, Jean, le cap-hornier aux gracieuses manières, épouse Anne-Marie, pieuse fille de paysans, avec laquelle – une rareté dans la Bretagne catholique de l'entre-deux-guerres – il n'aura qu'un seul enfant, Jean-Marie. « Né à plus de cinq kilos, je braille si fort qu'on me nomme le gueulard. » Ce fils unique est chéri. « J'ai eu une enfance très heureuse, j'ai tété le sein de ma mère jusque l'âge de trois ans. Ce n'est pas comme mes filles, elles se sont toujours mal entendues avec cassées, les invalides en chaise roulante, ces poilus bretons aux corps abîmés. S'est-il souvenu de ces visites en paternelle compagnie lorsqu'à son tour il invitera sa cadette à sécher l'école pour l'accompagner en campagne ? Comme son propre père, il est partisan des chocs éducatifs. Marine a vingt ans lorsque le député FN Jean-Pierre Stirbois meurt au volant de sa voiture. Jean-Marie Le Pen souhaite que sa fille l'accompagne à la morgue pour rendre hommage au cadavre de son ami. « Viens avec moi, je ne veux pas que le premier mort que tu voies, ce soit moi[1]. » La mort du père comme horizon.

Lorsque Marine Le Pen obtient son passage en classe de première, elle reçoit une carte imprimée à l'effigie du président du Front national. Sur le recto, il est imprimé que celui-ci « exprime [ses] félicitations à la militante ». Au verso, il a écrit à la main : « Je suis fier de toi, ma chérie. » Entre eux, toujours, politique et tendresse paternelle se confondent. Dans son enfance, Jean-Marie fut, contrairement à ses filles, extrêmement gâté par son père. À onze ans, il reçoit un vélo avec guidon de course et dérailleur. Inestimable trésor. Ensuite un modèle réduit de bateau – un Star –, puis une plate – un canot – à son nom, enfin, un chemin de fer mécanique. « Ces cadeaux faisaient de moi un

---

1. *À contre flots*, op. cit.

petit chef », dit-il, gourmand. Le gosse n'a pas de fratrie, mais une bande qui l'admire et convoite ses richesses, déjà... Son père sait également le punir. Lorsqu'il apprend que le petit Jean-Jean, surnom qu'il portera jusqu'à son élection à l'Assemblée nationale, a volé des gâteaux bretons dans la voiture du pâtissier en compagnie de deux copains, il le châtie d'une « tournée de ceinturons », puis le conduit à l'école, avec accrochée autour du cou une pancarte sur laquelle il a écrit « voleur ». Là, le maître d'école prend le relais. Jean-Marie et ses deux camarades sont placés, genoux à terre, aux coins de la classe, exposés aux regards de leurs congénères. L'ancien petit voleur de gâteaux bretons adore cette anecdote, comme il aime à rappeler combien il eut « la chance d'avoir froid et faim ». Ses trois filles ne connaîtront pas ces délices de la privation matérielle qui forgent une légende virile. Elles ont, en revanche, éprouvé et souffert d'une forme de privation affective de la part d'un père qui les aime grandement, mais ne souhaite pas leur accorder de son temps. « Oui, peut-être ai-je manqué sentimentalement à mes filles », convient ce dernier. Et là encore, on observe que cet octogénaire, qui n'aime rien tant que choisir des mots indignes, a sélectionné parmi son vocabulaire soigneux l'adverbe « sentimentalement » pour évoquer son amour paternel. Un adverbe d'ordinaire accolé aux amourettes galantes. Il ne regrette nullement de leur avoir fait défaut. « J'ai été dans leur vie un modèle, un modèle riant. Absent oui, mais un modèle. » Jean-Marie n'a, contrairement à son père, jamais puni ses filles. Il est vrai que leurs fautes lui parviennent tardivement. Aussi, quand sa deuxième fille, Yann, cesse d'aller au lycée préparer son baccalauréat, il ne l'apprend que plusieurs mois plus tard. Quant à Marine, elle se garde de rapporter ses punitions, ses notes ou ses soucis à ses parents. « J'ai été un père absent, mais c'est ainsi chez les marins. Si c'était à refaire, je le referais. »

En février, chez les marins bretons justement, la mer est trop mauvaise pour que les bateaux sortent. Jean Le Pen reste à la maison. Sur l'unique table, il lace ses filets. À ses côtés, Jean-Marie écrit ses devoirs au stylo plume. À chaque corde serrée d'un geste brusque par le père, le stylo du fils crachote sur le cahier. Les filets lacés, le père lui lit un livre choisi dans l'intégrale de la collection Nelson, ces livres blanc et vert recensant les œuvres du XIXe siècle, que le fondateur du Front national a conservés. On lui demande s'il a transmis à ses filles ce goût des lettres, lui qui se flatte de connaître le texte de plus de huit cents chants et presque autant de poésies. « Je pense que oui », avance-t-il, peu convaincu. Le sait-il seulement ?

Le 3 septembre 1939, Jean Le Pen invite son fils à l'accompagner à bicyclette à Sainte-Anne-d'Auray. Vingt kilomètres aller, un pique-nique sur l'herbe.

Jean-Marie est heureux, sa mère visite une cousine, son père est à lui. Sur le chemin du retour, alors qu'ils dépassent Crac'h, ils croisent un homme ivre, brandissant une affiche appelant à la mobilisation générale. C'est la guerre. En août 1942, alors qu'il dort à l'internat, son père sort pêcher la sole. Son bateau, *La Persévérance*, « a obtenu l'Ausweis plus les coupons pour le mazout[1] » – et la patronne de l'hôtel Le Rouzic, qui accueille des officiers allemands, lui a commandé du poisson. Au milieu de la nuit, sur une mer agitée, le filet de Jean Le Pen remonte une mine, qui cogne le bateau. Il meurt dans l'explosion. Si nul ne put établir la nationalité de cette mine – allemande, britannique ? –, cette mort accidentelle du père permettra plus tard au député d'extrême-droite de se fabriquer un récit patriote arrangeant. Le 23 décembre 1942, Jean-Marie est reconnu comme « pupille de la nation », un statut dont peuvent bénéficier les victimes civiles mais dont il fera souvent mention pour donner à penser que cette figure aimée serait tombée sous le feu de l'occupant. Son père mort, sa vie de garçon gâté bascule. « Toutes les nuits, j'entends ma mère sangloter derrière la cloison. » Marie Le Pen, Bretonne intrépide, s'achète une machine à coudre et subvient par ses travaux aux besoins domestiques. Chaque après-midi, elle se rend au

---

1. *Le Pen*, Gilles Bresson et Christian Lionet, Le Seuil, 1994.

cimetière. Jean-Marie, lui, aspire au large. « À seize ans, je connais l'amour dans les bras d'une femme d'officier stationné en Grande-Bretagne depuis quatre ans. Je deviens un homme. » Son grand-père, Pierre, lui rend visite chaque jour.

Si le fondateur du Front national grandit entouré de la sollicitude des siens, il ne sut faire de même avec ses enfants. Marine ne connaît pas de repas dominical en famille, jamais de fête d'anniversaire avec ses seuls parents, ni même une journée dans leur maison bretonne exclusivement en leur compagnie. Leurs intimes, tous membres du parti, décrivent des parents perpétuellement absents, et qui, lorsqu'ils sont entourés de leurs filles, reçoivent sans discontinuer des militants, des copains, des marins, avec lesquels ils épiloguent, bambochent ou dansent. Leur table est ouverte aux visiteurs de passage, aux amis qui s'invitent à l'improviste. Jamais la famille n'est isolée, concentrée sur les siens, se vivifiant de son intimité. Et la confusion perdure. Jusqu'à très récemment, Marine, comme sa sœur Yann, vivait au domaine de Montretout. Aujourd'hui, Marine s'est décidée à le quitter. À quarante-six ans, la cadette choisit enfin de s'éloi-gner de la maison du père. À Montretout, leur mère, Pierrette, était revenue, elle aussi, ruinée par son divorce houleux. Pour se faire pardonner sa fuite, son silence, elle veillait sur les enfants de Marine. Yann s'était installée au second étage,

107

au-dessus des bureaux de son père. Marine occupait avec ses enfants des dépendances aménagées en lisière du parc. Pour autant, les filles Le Pen ne croisaient leur père que rarement. Une voiture avec chauffeur le conduisait l'après-midi devant la porte d'entrée de la demeure principale, dans laquelle il travaillait, puis, le soir venu, le ramenait au domicile de sa seconde épouse, Jeannine Garnier dite Jany, à Rueil-Malmaison. Jean-Marie Le Pen peut éviter ses filles. Il le fait volontiers tout en aimant les surprendre. Aussi, lorsque Yann et Marine organisaient des dîners amicaux, et que le patriarche l'apprenait, il « débarquait tout à trac. Il passait faire son numéro devant leurs invités, puis il repartait. », raconte un proche de la famille. Elles sont chez lui, unique seigneur du domaine. Le chef de parti n'aime rien tant que confondre, car ainsi il échappe. Lorsque Marine célébrait les anniversaires de ses trois enfants, encore petits, elle louait les services d'un cirque, de forains ou d'un guignol, égayant les jeunes invités. « Son père venait. Mais jamais seul. Il arrivait à la fête en compagnie de sa garde rapprochée, des élus du parti. Il regardait. Je ne l'ai jamais vu s'adresser à un petit-enfant en particulier », témoigne un ami. Toujours chez lui, la politique tient lieu de famille et le parti de parentèle. Désormais, le patriarche refuse de prendre ses vacances dans la maison de La Trinité, qu'il chérit pourtant, aux mêmes périodes que ses filles et que leurs enfants. Il préfère, raconte-t-il, gourmand, les « MDA », les maisons des autres, ces amis riches qui le convient sur la côte varoise. Il ne s'installe à La Trinité qu'en juin ou en septembre, quand les siens ont repris le chemin de l'école. Ou du parti. « C'est compliqué, l'amour, chez les Le Pen », murmure un ancien membre du bureau politique, qui les servit dix ans. S'ils ne partagent ni proximité, ni tendresse, les Le Pen se vouent toutefois un attachement viscéral, clanique. « Si quelqu'un s'aventure à critiquer Marine, et que celle-ci est absente, son père mord, il la défend. En sa présence, il laisse dire, indifférent. »

Le père et sa fille sont unis par la détestation qui les entoure. Quotidiennement, l'adversité les attache l'un à l'autre. Elle seule provoque entre eux de rares mots doux. Quand Marine, à ses débuts, se laissait parfois malmener sur un plateau de télévision, son père et ses fidèles la regardaient se débattre en silence. L'émission finie, il ne lui téléphonait pas, ne l'attendait pas pour la consoler à son retour. Il se taisait deux jours, puis seulement lui manifestait son soutien, l'encourageant à persévérer. Pour obtenir ces compliments paternels, la fille doit aller au feu, s'y blesser, souffrir. Marine se régale de cet amour gagné au combat. Si elle veut être aimée de son père, elle doit s'approcher de lui, le mériter. Elle a trente ans quand, avec des copains – du parti –, elle sort dîner d'une crêpe sur le port de La Trinité. C'est l'été. La soirée est douce, les quatre s'approchent d'une table vide en terrasse. Ils réfléchissent à leur commande, ils fument. À la table d'à côté, des dîneurs les reconnaissent. Ils se lèvent, abandonnent leurs plats, crient que c'est impossible de rester regarder le soleil se coucher sur le port à côté d'« elle ». Ils la pointent du doigt et quittent le restaurant. Marine commande une bière. Elle rit fort. La fille du vieux. La préférée du chef. Proche de lui, puisque comme lui, on l'attaque.

« Il y a depuis toujours de la concurrence entre eux, elle les excite », commente un proche. Leur lien filial est inédit. Rarement partagé dans la banalité du quotidien, il se nourrit de leur ressemblance et de leur rivalité. « Leurs relations sont paroxystiques. Entre eux deux, il peut y avoir de la violence énorme, puis des effusions soudaines totalement excessives », confie un intime qui les fréquenta assidûment. Leurs disputes sont homériques, leurs fâcheries, longues et leurs instants d'intimité, « totalement inexistants ». Sauf quand ils s'embrassent sur la bouche. Le Pen, comme sa fille l'appelle et comme il se nomme parfois lui-même, cultive la guerre. Il voudrait croire qu'elle a emporté son père à lui. Il la provoque avec sa fille pour s'assurer qu'elle lui est obligée. Il ne supporte pas qu'elle ne lui rende pas hommage. C'est elle qui doit toujours se battre pour lui plaire. « Elle a tout appris de moi. Je lui ai tout donné », dit-il. On lui demande ce que lui inspire la prise de distance entre la désormais présidente du Front national et lui, son président d'honneur. Il répond par une anecdote. Son grand-père, le gentil Pierre qui prit soin de lui après la mort de son père, est pêcheur à La Trinité. Marie, sa minuscule femme, conserve l'argent du ménage caché sous son oreiller. Elle surveille son époux, qui aime à « tirer des bordées ». Quatre jours de beuverie, dont il rentre « la casquette à l'envers ». Pour éviter qu'il ne gaspille l'argent de la pêche, Marie le cache. Un jour, Pierre trouve les billets et part les boire. « Pendant vingt ans, elle ne lui a pas adressé la parole. » Quand on l'informe de la mort imminente de son époux, père de ses enfants, elle est priée d'aller se réconcilier. Elle hoche la tête et ne bouge point. On revient l'avertir que Pierre est passé. Elle se lève, pénètre dans la chambre mortuaire. Bouche close, la grand-mère du futur chef d'extrême-droite se signe puis repart. Jean-Marie rit. « Je crois beaucoup à l'hérédité. »

Il est content de bouder sa fille, cette ingrate qui « tire des bordées » en s'éloignant des interdits que son père cultive avec une allègre indignité. Il ne lui parle plus. Il feint d'être blessé. En réalité, il se réjouit de lui avoir échappé. « Les pères sont absents chez les marins. » Marine, la fille du marin.

6

CALIXTE et FRANÇOIS BAYROU
Le livre de sa mère

Calixte est « un homme exceptionnel. Il est bon, animé de souci moral, mais il n'est pas parfait. Il est au centre de la construction de ma vie[1] ». Dans la ferme de Bordères, minuscule village situé entre Pau et Lourdes, aux confins du Béarn et de la Bigorre, la vie est âpre. La relative aisance du grand-père, négociant en haricots, premier villageois à posséder une voiture et un téléphone, n'a pas survécu à l'après-guerre. Désormais, les Bayrou vivent sur dix hectares. Maïs, tabac, potager, quelques vaches, des chevaux. L'argent manque. François se souvient des plaintes de sa mère et, surtout, des accès

---

1. Entretien avec l'auteur le 11 juin 2014. Toutes les citations pour lesquelles aucune autre source n'est spécifiée relèvent de cet entretien.

de rage « épouvantables » de son père, « colérique par impuissance », brisant les chaises contre les murs. Une fois par semaine, comme il rentre de l'école à bicyclette, le collégien est chargé de passer à la boucherie et d'y prendre du plat de côtes, morceau volumineux et bon marché. Calixte Bayrou, qui « ne veut pas se faire avoir », marchande tout ce qu'il achète. Son fils l'observe. Ainsi, aujourd'hui encore, François Bayrou, président du MoDem, ancien ministre de l'Éducation nationale, arrivé avec 18,5 % des suffrages troisième au premier tour des élections présidentielles de 2007, confie avoir marchandé le costume qu'il porte, les chaussures qu'il a aux pieds, la viande du barbecue familial ; il marchande tout, tout le temps. « Pour toujours être sûr de faire une affaire », sourit-il. Babeth, son épouse, déteste ces scènes d'un autre temps. Il achète encore du plat de côtes et éprouve « plus de plaisir » à acquérir « quelque chose qui ne marche pas afin de le réparer » qu'un objet neuf. Le fils de son père. À douze ans, faute d'avoir fait ses devoirs ou appris ses leçons, François est collé presque tous les jeudis. En fin d'après-midi, Calixte vient le chercher. Le gamin puni a le droit de conduire la traction 11 CV jusqu'à la cour de la ferme.

Calixte est un homme rare. Agriculteur béarnais, il parle en patois gascon occitan alors que le français est sa passion, sa seconde maison, dans laquelle ce petit paysan, insatiable intellectuel, se réfugie dès qu'un instant lui est offert. Il lit de la philosophie, de la poésie, des romans, des biographies, des essais, des dizaines de livres chaque mois. À sa mort, sur sa table de chevet sont empilés *Réflexions sur la question juive* de Sartre et *Apologie de Socrate* de Platon. Calixte lit à table, lit au petit déjeuner, au déjeuner et au dîner. Sa femme, Emma, qui chaque semaine emprunte cinq romans à la bibliothèque du bourg voisin, fait de même. François aussi. Plus tard, sa sœur Lucienne les imitera. On mange en lisant. On lit en mangeant. Calixte est un penseur, un philosophe, un poète, un homme à la calligraphie soignée, « habité par l'éducation ». Tandis qu'avec son fils ils travaillent aux champs, remplissent des sacs de grains, scient du bois, hissent du foin, traient les vaches, toujours ils récitent du Victor Hugo, du Lamartine ou des fables de La Fontaine, résolvent des énigmes mathématiques ou des exercices de calcul mental. Le corps travaille, l'esprit s'entraîne. Quand les gamins du voisinage jouent à cache-cache dans la maison, le père Bayrou les interrompt en claquant dans les mains. C'est l'heure d'une dictée surprise. Aussitôt, les petits Gascons, poltrons devant l'orthographe, s'égaillent. François écrit seul la dictée.

L'enfance de François Bayrou est heureuse, mais « peu gaie ». « Profondément pénétré de la fragilité des choses », son père n'est pas un homme riant. Il exploite une terre qui jamais ne lui appartiendra, car elle est bloquée dans une indivision vieille de deux générations. Une situation humiliante pour cet homme qui travaille sans compter. D'autant plus vexatoire que la maison où vivent les quatre Bayrou est également figée dans cette indivision. Ils n'habitent pas chez eux. « Marquée par le malheur », la famille paternelle les hante. Calixte est l'aîné de quatre garçons. En 1917, son père, François – ces deux prénoms sont systématiquement donnés chez les garçons Bayrou – combat à la guerre ; son petit frère, François, meurt de ses brûlures après être tombé dans la cheminée de la maison. Calixte a huit ans. « Il est marqué à jamais par la précarité des choses précieuses. » Un an plus tard, son père revient et apprend la mort de son fils. Une petite sœur naîtra plus tard.

Huit ans, l'âge auquel Calixte Bayrou voit mourir son frère dans les flammes. Huit ans, l'âge auquel son fils François, le garçon qui récite du Hugo en coupant les épis de maïs mûrs, est saisi de bégaiement. On fait ici observer au président du MoDem, dont le handicap est désormais sous contrôle, que les âges comme les prénoms coïncident. Se pourrait-il qu'il ait été victime d'un

Eugène, son deuxième frère, reste au village, où il s'établit comme mécanicien. Calixte bêche la terre, « mate » les feuilles de tabac en les étendant six heures sous le soleil pour qu'elles ne cassent pas, soigne les pouliches. Animé d'un « fort sentiment d'injustice sociale », le paysan lettré demeure un homme généreux, « d'une conduite exemplaire », soucieux des pauvres, ouvrant sa table à tous les visiteurs, retenant à dîner le médecin, le voisin, l'acheteur de passage. Il n'est pas aigri, mais manifeste son mécontentement en se vêtant ostensiblement de « haillons » et en ne conduisant que de très vieilles voitures. Affichant de la sorte son dédain pour la réussite matérielle, il réclame en revanche que son immense appétit intellectuel soit nourri. Et c'est ainsi que Constant et Lucienne, le frère colonel et la sœur médecin, qui longtemps rentrèrent à la ferme chaque samedi par le train de nuit, lui apportent de pleines valises de livres et de revues. De quoi tenir la semaine. À 7 h 32, le Béarnais va les chercher à la gare, il les conduit directement à la salle de traite. Les vaches n'attendent pas. Dans la touffeur de l'étable, Calixte en guenilles explique au polytechnicien et au docteur en médecine la marche du monde, la construction de l'Europe, l'avenir de l'Afrique, les enjeux pétroliers. Il n'a pas besoin de briller à Paris pour comprendre le monde tel qu'il change. Lorsque

François Bayrou, son fils, la mine gourmande, raconte avec joliesse cette anecdote, on sourit. Il parle de son père. Et tellement de lui-même.

Les meurtrissures n'ont pas épargné Emma Sarthou, la mère adorée de l'homme politique. Toute petite, l'enfant de Serres-Morlaàs entend sa propre mère lui seriner qu'« il faut faire son devoir ». Elle a deux ans lorsqu'elle part pour la première fois à l'école, sacoche au dos. « Je m'en vais faire son devoir », explique-t-elle crânement aux passants. En 1938, son frère s'engage dans l'armée. Son père, opéré d'une appendicite avec des instruments mal stérilisés, meurt. Sa mère s'alite. Alors que la guerre mondiale gronde, Emma, vingt ans, « fait son devoir », elle prend en main l'exploitation familiale. Gère, sept années durant, les vachers, le bétail, les récoltes, elle dirige, vend, sarcle, organise, répare. En 1945, son frère rentre du front. Il découvre sa mère malade et la ferme vaillamment portée par sa petite sœur. Qu'il congédie sur-le-champ.

Calixte et Emma se marient tardivement. Emma a trente-trois ans et Calixte quarante-deux, un âge canonique chez les Béarnais catholiques pour convoler, mais voilà, il ne parvient pas à fixer son choix et l'arrête sur la seule jeune femme du canton qui eût les yeux bleus. « Mon père est incapable de trancher. Décider, c'est perdre quelque chose, il l'évite », commente son fils, précisant que cette indécision paternelle ne lui fut pas transmise. Et ne précisant pas qu'il pourrait bien avoir hérité de ces blessures parentales. Que dit-on à son fils quand on a soi-même été malmené, éconduit et parfois trahi par les siens ?

François, joyeux et chahuteur, compense son absence obstinée de travail scolaire par de l'aisance rédactionnelle et une culture livresque phénoménale pour son âge. Peu d'enfants ont comme lui commenté Chateaubriand en pelletant du fumier… Tôt, la politique le passionne, atavisme familial. Comme son arrière-grand-père et son grand-père, Calixte s'est engagé dans le Mouvement republicain populaire, ce parti démocrate-chrétien né de la Résistance, artisan de la construction européenne et qui incarna, sous la IVe République, cette troisième voie chère aux centristes. Six ans durant, il est maire de Bordères. Ce n'est pas bien long pour un mandat rural, mais il lui faut composer avec son orgueil. Aux élections municipales de 1953, une voix lui fait défaut. Battu, il ne se présentera plus. « Il me parle de politique comme d'une grande chose », se souvient François, légataire de cet esprit ombrageux. Plus « politicarde », sa mère se montre volontiers curieuse des jeux d'alliances et des coulisses. À la maison, on écoute la radio mais on l'éteint quand elle diffuse de la musique. Seules intéressent les émissions culturelles, les débats, la parole.

Catholiques se méfiant du clergé, les Bayrou sont animés d'exigences morales. Vers dix-sept ans, François s'engage dans le mouvement de Lanza del Vasto, un aristocrate italien, chrétien, proche de Gandhi et fondateur de l'Ordre laborieux de l'Arche, un mouvement communautaire de retour à la terre. Le jeune homme est enthousiaste. Il en parle à son père. Les deux hommes ramassent le tabac, coupent les feuilles à la serpette et jettent celles qui, trop basses, sont excessivement chargées de nicotine. François, enfiévré, raconte la non-violence, leurs décisions prises à l'unanimité absolue, ces cellules de démocratie parfaite. Son père coupe, écoute, coupe. Se redresse et lui dit, gentiment : « Ça veut dire quoi, pour nous ? » « À cet instant, dans ma tête, j'abandonne Lanzo del Vasto », se remémore le futur candidat centriste à la présidentielle.

Lorsque François annonce à son père qu'il se présente à l'agrégation de lettres classiques, les deux hommes rangent du bois. Quelles sont ses chances de réussite ? Un candidat reçu tous les deux ans. Statistiquement plus improbable que le Grand Prix de Bordeaux, observe Calixte, l'éleveur de chevaux. Admis, serait-il obligatoire qu'il doive partir enseigner hors du Béarn ? Le fils acquiesce. Le père insiste. N'y aurait-il pas moyen d'échapper à une nomination lointaine ? Le jeune professeur de lettres ne mentionne pas l'exception à cette règle :

pour qu'un agrégé puisse enseigner dans son académie, il faut qu'il soit soutien de famille. Pour que le fils reste, il faut que son père meure. François tait cette clause. Il sait combien son père souffre lorsque les siens s'éloignent. Il l'a éprouvé le jour où celui-ci l'a conduit jusqu'au lycée bordelais où il vivrait dorénavant, pensionnaire en hypokhâgne. Il pleuvait à verse, leur vieille voiture s'épuisait et son père sanglotait. Son fils partait. Il quittait leur terre.

Si François tait l'exception prévue par l'Éducation nationale, c'est aussi parce que là, soudain, empilant les rondins dans la grange, évoquant cet examen à venir, un pressentiment l'étreint. Qui s'avérera juste. Calixte meurt en tombant de la remorque où il a empilé des meules de foin le 2 avril 1974, « jour de la mort de Pompidou ». Le 2 mai, François, vingt-trois ans, passe avec succès son agrégation. « Les choses se sont faites par une protection mystérieuse », note le catholique qui, désormais soutien de famille, est nommé au lycée de Pau. Le père meurt, le fils demeure. Le jour, le professeur enseigne le français, fier d'être cette année-là un des plus jeunes agrégés du pays. Le soir, il file à la ferme, dans laquelle il vit désormais avec son épouse et leurs deux petites filles, et y accomplit son labeur. Il sème, fane, récolte, trait, et corrige ses copies. Forcé par la mort, il accomplit les deux passions de son père : la terre et les lettres.

Quelques années plus tard, le jeune professeur-agriculteur « sonne à la porte du Centre des démocrates à Paris. » « Je n'avais jamais vu un centriste de ma vie ». Il s'engage dans ce parti successeur du MRP paternel. Rapidement, l'agrégé devient la plume de Jean Lecanuet, un démocrate-chrétien, fils d'un représentant en vins, provincial, agrégé de philosophie. Un sosie ? « Sauf qu'il n'était jamais heureux, et que ma pente naturelle, c'est le bonheur. » François Bayrou ne quittera plus la politique. Avec plus ou moins de bonheur.

Quoi qu'il advienne, le maire de Pau est animé de la conviction d'avoir été désigné par le destin, dont il distingue mille signes. Il a triomphé de son bégaiement et remporté un prix de diction, réchappé d'un accident de piscine, d'une chute de cheval et même de l'acrobatique escalade d'une grille de stade, dans laquelle il aurait pu mourir ou perdre sa main. Des guérisons miraculeuses. « La Providence a envers nous un détachement indulgent, j'ai eu toute ma vie une chance impensable », résume l'ancien candidat à la présidentielle. Il ne cultive guère d'amitiés pérennes. Il doute des autres. Il n'aime vraiment que les siens, sa tribu, sa terre. Ses six enfants, ses dix-neuf petits-enfants. « Je suis un père qui materne. » Orphelin de père depuis ses vingt-trois ans, le sexagénaire est un fils lucide, comme peu de ses pairs le sont. « Le regard de mon père compte, il ne m'oblige pas. »

7

MICHEL et FRANÇOIS BAROIN
Larsouille, fils d'un géant

Ce 5 février 1987, François Baroin est heureux. Si fier d'avoir réussi son premier triplé, d'avoir « tiré dans un couloir trois sangliers en trois balles[1] ». Il quitte Blois, fonce sur l'autoroute l'annoncer à son père, qui doit être revenu de son énième voyage en Afrique. Un triplé...

François a quatre ans quand son père l'invite pour la première fois à l'accompagner à la chasse. La nuit se retire sur la prairie humide, le père et le fils marchent doucement dans les bois frisquets. Le garçonnet savoure, d'autant que Véronique, son aînée, n'est pas de la partie. Elle dort encore,

---

1. Entretien avec l'auteur le 19 février 2014. Toutes les citations pour lesquelles aucune autre source n'est spécifiée relèvent de cet entretien.

bien au chaud. Son père lui donne à porter un lièvre, son premier. « Il était si lourd, il devait faire mon poids », sourit le député-maire. Il se ravise. À quatre ans, François Baroin ne pesait pas le poids d'un lièvre, il calcule à voix haute et précise qu'il devait, lui, « avoisiner les dix-sept kilos » et que c'est en effet beaucoup plus qu'un seul lièvre. Qu'à cela ne tienne, l'animal porté sur l'épaule est lourd, merveilleusement lourd à l'âge où le petit garçon ne sait ni lire, ni écrire, juste marcher en silence derrière la silhouette paternelle. Comme il est fier, François. « Fou de joie », se souvient-il. Il aime ces dimanches matin où son père est à lui, rien qu'à lui. Il dit la lumière qui bleuit sur les champs de chaume, le dos de son héros à cent mètres devant. « On parle tous les deux, on a un but commun. »

Michel Baroin n'apprendra jamais que son fils a réussi un triplé, car son avion, un Lear Jet 55, n'a pas atterri à Paris ce matin-là. Les téléphones s'affolent, les informations les plus délirantes s'entrechoquent autour de François, vingt et un ans, et de sa mère, pétrifiés d'angoisse. En fin de journée, Jacques Chirac, l'ami du père, sonne à la porte de l'appartement familial rue de Prony. Il embrasse le jeune homme. Est-ce lui qui leur annonce que l'avion s'est écrasé au Cameroun, tuant ses neuf passagers ? François ne sait plus, sa mère non plus. En revanche, il affirme que, depuis qu'on lui a fait part d'un retard à l'atterrissage, il a compris que son père ne reviendrait plus, qu'il ne pourrait plus jamais chasser avec lui. Qu'il est mort, comme est morte, renversée par une voiture, sa sœur Véronique, neuf mois plus tôt. Ils étaient quatre, les Baroin. Ils sont quatre. Deux vivants et deux morts.

« Lui vivant, je n'aurais pas fait de politique. » C'est dit. Si Michel Baroin n'était pas mort, son fils François, assis à fumer dans son bureau de l'Assemblée nationale, affirme qu'il ne serait pas devenu maire, ni député, ni sénateur, ni porte-parole du gouvernement, ni ministre du Budget, ni ministre de l'Intérieur. Il aurait fait du commerce ou du droit, il serait devenu avocat, ou bien il aurait dirigé une entreprise. De toute façon, il se serait amusé et il aurait gagné de l'argent. Il aurait été un parfait quadragénaire cabotin. « J'aurais pris plus de temps. Pour ma vie. J'aurais attendu de mûrir. » Il n'a pas eu le choix. Son père mort, le fils hérite d'une absence. Cela prend énormément de place, une absence, un mort dans le cœur d'un vivant, un père magnifique dans le souvenir de son unique héritier.

Les parents de Michel Baroin, les grands-parents de François, ont quitté les terres agricoles du Morvan pour s'installer dans le 12ᵉ arrondissement de la capitale. Dotés du certificat d'études, ils ont réussi les examens de la fonction publique. Gaullistes de gauche, ils s'engagent très tôt dans la Résistance. Un couple de terriens, patriote et modeste, persuadé d'avoir accompli le maximum d'ascension sociale en servant l'État français depuis leur guichet de poste et leur guérite de police. Alors quand leur fils Michel, diplômé en droit, leur annonce son intention de faire Sciences Po, puis de devenir commissaire de police, ils ne le comprennent pas. N'est-ce pas largement suffisant d'être diplômé de l'université quand on est l'enfant d'un gardien de la paix sifflant les voitures dans les rues de Paris ? Michel Baroin se classe premier au concours de commissaire de police. Il entre aux Renseignements généraux puis à la Direction de la surveillance du territoire, il devient sous-préfet à Nogent-sur-Seine dans l'Aube, puis secrétaire général de la Préfecture. En 1971, il est choisi comme chef de cabinet du président de l'Assemblée nationale, Achille Peretti. À la mort de ce dernier, il servira Edgar Faure, son successeur. La famille Baroin connaît l'aisance. Elle pourrait se goberger de l'ivresse d'en être, se flatter du goût nouveau de la réussite sociale, mais ces satisfactions repues ne sont pas le genre de la maison. Michel travaille, son épouse Michèle élève avec affection leurs deux enfants. François apprend ses premières prises de judo dans la salle des sports de l'hôtel de Lassay. Le mercredi, trottinant entre les haies d'huissiers en queue-de-pie, il rejoint son père dans les étages lambrissés. L'Assemblée nationale, le bureau de papa.

« Michel Baroin est une personnalité extrêmement forte. Exceptionnellement charismatique[1] »,
se souvient Jean-Michel Blanquer, son biographe,
qui le connut très jeune puisqu'il devint dès l'école
primaire l'indéfectible ami de son fils François.
Michel Baroin « magnétise », il « irradie ». Personnalité « hors norme », intelligence fulgurante,
sens du devoir, générosité, humanisme et, avec
ça, un côté « paillard, morvandiau, un peu *Ton-
tons flingueurs* ». Un homme rare qui, en 1974,
quitte la préfectorale et devient président de la
GMF, Garantie mutuelle des fonctionnaires, une
mutuelle d'assurances automobiles. Sous la hou-
lette de ce novice en affaires, la modeste GMF
se métamorphose en empire, croquant des parts
de Canal Plus, absorbant la Fnac, avalant une
banque, lorgnant sur TF1. L'ancien commissaire
de police trône au sommet du capitalisme français
et continue de prêcher « l'économie d'amour ».
De ce père gigantesque, François est le fils.

« Un géant. Lumineux, puissant, drôle éner-
gique, vivant, lointain et présent, autoritaire, cas-
sant, dur, attentionné. Un repère, mon père »,
lance-t-il dans une tirade dont il a calculé le jeu
de mots final. Un père sévère, à l'ancienne, qui
se fâche et punit. Une paire de claques quand le

---

1. *Michel Baroin. Les secrets d'une influence*, Jean-Michel Blanquer,
Plon, 1993.

gamin réclame de quitter Stanislas, ce collège privé catholique, où ses notes patinent. Michel Baroin éprouve l'insolente rançon des autodidactes : leurs enfants sont des héritiers. Il gronde son « Paco », son « Fanfan ». « Larsouille » grandira, songe-t-il, un peu déçu qu'il soit si cossard. Le grand patron, intime de Jacques Chirac, proche de Michel Rocard, que François croise tôt le matin attablé dans la cuisine familiale, est élu Grand Maître du Grand Orient. Un engagement qui le dévore. François a treize ans. « Cette année-là, mon père passe trois cents soirs à l'extérieur, tenant des réunions pour le Grand Orient. Ma mère nous l'explique. Je comprends, mais il n'est pas là. » La franc-maçonnerie est une rivale de la famille, qui ne l'aime point. Quand Michel Baroin revient parmi les siens, il s'occupe intensément d'eux. Bien qu'il n'apprécie guère le foot, il emmène son fils assister à quelques matchs. Lors de son oraison funèbre, Jacques Chirac évoquera son ami défunt comme étant celui qui « disait aux autres qu'il les aimait sans que personne ne songe à sourire ».

Quand Véronique est tuée, renversée par une voiture, Michel Baroin s'enferme deux mois dans la chambre de celle-ci. À sa mémoire, il écrit un livre, *La Force de l'amour*[1]. Un texte court, lyrique, présentant ses convictions philosophiques.

---

1. *La Force de l'amour*, Michel Baroin, Odile Jacob, 1987.

L'auteur ne sait pas qu'il écrit son propre testament. Il rend hommage à sa fille décédée et n'y mentionne ni son fils, ni sa femme. Le mort croque le vif. François le comprend. Le jeune homme relit au fur et à mesure les chapitres, et pour aider son père, auquel le temps manque tant il est absorbé par ses travaux d'écriture, il rédige pour lui des revues de presse. Michel Baroin réalise que la présence de son fils est un don, qu'un enfant peut disparaître cruellement et qu'on ne peut pas toujours compter sur la vie pour enseigner la nécessaire sagesse. Tout l'été, le père et le fils se cloîtrent dans leur maison de la Creuse, une bâtisse modeste, isolée dans la nature. Ils pêchent, ils chassent. L'aîné parle, le fils écoute. Une seconde fois, Michel Baroin prononce son testament.

Lorsque François était plus petit, Michel avait mis en garde son fils, qu'il avait pourtant inscrit chez les jésuites : « Tu sais, Dieu n'existe pas. Sache-le, sois lucide. » Une conviction athée que la mort de sa fille ébranle. Dans son deuil, l'illustre franc-maçon rencontre le curé de Saint-François-de-Sales. Il « s'approche de la figure du Christ. Cet initié, marqué par l'Afrique spirituelle, devient déiste. Il cherche », témoigne un intime. C'est le dernier été avant sa mort. L'ultime été de son fils.

« Il est mort. Je ne dors plus. Je suis éveillé toutes les nuits jusqu'à 4 heures du matin. Je lis tout ce que je trouve. Je me dis que je ne peux être un poids pour ma mère, que je dois la satisfaire. » La mort aux talons, François Baroin abandonne l'insouciance. Le jour, il est journaliste à Europe 1, le soir, il suit des cours de droit à Assas. La politique ? Il n'y pense pas, « mais alors, pas du tout ». Jusqu'au jour où Jacques Chirac l'appelle. L'ami de son père est un fidèle qu'un brin de mauvaise conscience oblige. N'est-ce pas lui qui aurait demandé à Michel Baroin d'aller rencontrer le Président congolais, le contraignant un peu à ce fatal voyage ? On a beaucoup dit que Chirac serait le père de substitution de François Baroin. Une commodité journalistique que leurs proches récusent. Le futur président de la République a trop d'estime pour son ami décédé pour songer à le remplacer. En revanche, il se soucie de son fils et de sa veuve. Il offre à François de se lancer en politique, il lui donne les clés, le parraine, lui trouve une circonscription. Pour le jeune homme, Jacques Chirac se rend disponible, il le reçoit dans la journée si celui-ci le lui demande. Cependant cette affectueuse tutelle se cantonne exclusivement à la politique. Jacques Chirac n'assiste pas au mariage de François, il ne l'invite pas en vacances. Il veille. C'est beaucoup dans ces années de la chiraquie triomphante.

François, que la politique n'a jamais passionné, n'est pas impressionné. Depuis qu'il sait marcher, il a vu les plus grands personnages de la République fréquenter à toute heure son père et leur salon familial. Il les connaît, il les tutoie. Il n'hésite guère. Pour rassurer sa mère, il décide de parachever l'œuvre de son père. Le jeune homme n'a pas le choix. Il se souvient qu'on disait de celui-ci qu'il devrait « faire le saut », qu'il pourrait être un parfait Premier ministre de cohabitation. Son père, commissaire de police, fils d'un gardien de la paix, n'aurait pas refusé le ministère de l'Intérieur. Désormais, un maroquin Place Beauvau est l'objectif acharné de son orphelin. « Je me suis battu pour ce ministère. Je voulais y mettre le nom de Baroin. Il m'aurait suffi de l'occuper deux heures pour être fier. » Il l'occupera deux mois, assez pour que son patronyme et sa photo en noir et blanc soient accrochés sur le mur où l'entourent celles de Georges Clemenceau, François Mitterrand, Jacques Chirac et Nicolas Sarkozy.

« Ce sont mes souvenirs que j'entretiens en allant à la pêche et à la chasse. Pour qu'ils ne jaunissent pas. » À quarante-neuf ans, il a vécu plus longtemps sans son père qu'avec lui. On l'interroge sur sa voix singulièrement basse et monocorde. « La même que mon père », se défend-il, indiquant que des enregistrements radiophoniques en témoignent et que ses deux fils en ont hérité également. Il précise que son père ne l'écrase pas, qu'il

8

AHMED et NAJAT BELKACEM
Taire son père

Elle cherche que raconter sur son père. Elle préférerait répondre que cela ne nous regarde pas, d'ailleurs c'est ce qu'elle fait, à sa manière, habile et maîtrisée : « Mon père m'a appris à être polie, à ne pas me faire remarquer[1]. » C'est peu pour dire un père.

Najat Vallaud-Belkacem ne se souvient pas du jour où son père est parti. Il quitte la ferme au sol de terre rouge de Beni Chiker, dans le Rif marocain, laissant sa femme, ses deux filles, ses parents, ses amis. Elle n'est pas chagrinée. Ses oncles ont fait de même : les pères s'éloignent, les mères demeurent et la fillette

---

1. Entretien avec l'auteur le 28 avril 2014. Toutes les citations pour lesquelles aucune autre source n'est spécifiée relèvent de cet entretien.

poursuit ses jeux avec Fatiha, sa sœur, de dix-huit mois son aînée. L'été, leur père les retrouve. Elle a presque oublié son visage lorsqu'il apparaît, distant comme le deviennent ceux qui travaillent loin. Il apporte des cadeaux, des shorts et des débardeurs bariolés, qui trahissent combien il a oublié le froid des collines venteuses de Beni Chiker. À l'été 1982, il leur annonce que c'est fini. Fini la ferme, fini les figues sucrées, fini les courses pieds nus dans les champs, fini les grands-parents, la brise tiède et les murs de chaux blanche qui chauffent le dos. Il les emmène en France. De cet interminable voyage en voiture jusqu'à Abbeville en Picardie, des sanglots de ses grands-parents, du chagrin de sa mère, des larmes de sa sœur, des terribles adieux, Najat n'a aucun souvenir. À force de les taire, la ministre de l'Éducation est parvenue à les oublier. Adulte, elle confie avoir été émue par le film *Inch'Allah dimanche* de Yamina Benguigui, grâce auquel elle découvre que son histoire d'émigration s'inscrit dans un destin partagé. Elle répare sa mémoire, puis la verrouille.

Dans cette banlieue nordiste, où la famille Belkacem s'installe, Najat découvre le français, l'école et la pluie. Avec sa sœur Fatiha, elles s'inventent une langue : le « franco-berbère ou berbéro-français », un mélange inédit de mots de l'école, de mots du Nord, de mots de leur mère, qui ne parle alors pas le français, et de mots fabriqués pour remplacer ceux qui leur manquent ou qui leur déplaisent. Une

« coiffette » désigne ainsi un peigne. Najat Vallaud-Belkacem rit encore en se souvenant comment, alors qu'elle effectue un stage au sein d'un cabinet d'avocats dans le 16ᵉ arrondissement de Paris, la boulangère à laquelle elle demande un « jobo » au lieu d'une baguette écarquille les yeux. Il n'y a pas que les mots qui distinguent la brunette de ses camarades d'Amiens. À la télévision, elle entrevoit « le monde des autres ». Elle est trop intelligente et trop fière pour se plaindre d'avoir été pauvre, tandis que « les autres » semblaient riches, ou exilée, alors que « les autres » paraissaient installés, marocaine chez les Français. L'immigration est une donnée, pas une histoire dont Najat Belkacem se servirait pour apitoyer. « Soyez polies et ne vous faites pas remarquer », lui répète son père.

Najat et Fatiha aident leur mère à la cuisine, au ménage et auprès des petits, car la fratrie s'agrandit. Ils sont désormais sept enfants, cinq filles et deux fils. Les deux aînées, les seules à avoir connu la ferme marocaine des grands-parents, assistent leurs puînés pour les devoirs, elles écrivent dans leur cahier de correspondance, scrutent leur carnet de notes. Lorsqu'il le faut, elles rencontrent les instituteurs. « Nous, les sept, on s'est toujours aidés. Quand l'un de nous flanche, on est là pour lui. C'est ce qui est beau dans le faire famille. » Faire famille, l'expression est impropre mais elle décrit, à dessein, combien leur lien relève d'une volonté commune, d'un mouvement choisi ensemble. Leur mère tient à ce qu'ils passent une heure et demie par jour à faire leurs devoirs. Elle ne les surveille pas. Ils savent qu'ils doivent les faire au mieux. Et que dit son père de l'école, de l'importance du travail bien fait ? « Mon père, c'est la rigidité. Ma mère, l'affection. » Les mots sont comptés quand il s'agit d'évoquer la figure paternelle. Ahmed Belkacem est un patriarche démuni, qui porte la responsabilité de l'exil et connaît ses dangers. « Soyez polies et ne vous faites pas remarquer. » Il gronde, il interdit, il punit souvent. « Il nous dit de marcher droit. » Pourtant, à sa façon mutique et exigeante, le père affranchit ses filles aînées, auxquelles il apporte régulièrement des paquets de livres d'occasion achetés dans des brocantes. Il sait que, en leur donnant à lire, il leur offre de partir. Alors qu'il interdit les fêtes chez les copains, les boums, les anniversaires, il les autorise à se rendre, le mercredi et le samedi, au bibliobus, la bibliothèque itinérante[1]. Najat dévore les livres, « je m'invente une vie autre ». « La vie a plus d'imagination que tu ne crois », lui répète sa mère.

De son exceptionnel parcours, la jeune ministre ne rend grâce ni à sa mère, ni à son père, ni d'ailleurs à elle-même. Elle assure « tout devoir » à sa

---

1. *Najat Vallaud-Belkacem. Une gazelle au pays des éléphants*, Véronique Bernheim et Valentin Spitz, First Éditions, 2012.

sœur Fatiha : « Elle m'a donné le *la* de la réussite. » Fatiha obtient son bac. Najat le réussit avec une mention. Fatiha s'inscrit à la faculté de droit d'Amiens, Najat l'y suit. En licence, elle décide de ne plus « être la seconde ». Elle cesse de copier Fatiha, qui poursuit son droit et deviendra avocate en banlieue parisienne. Najat se rend au centre d'information et d'orientation de son lycée, attrape un dépliant qui parle d'une école inconnue, Sciences Po Paris, se dit que celle-ci paraît dispenser un enseignement varié. Le concours est dans quelques semaines. « La vie a plus d'imagination que tu ne crois », l'encourage sa mère. L'étudiante se trouve seule avec elle dans l'appartement lorsque le facteur dépose l'enveloppe des résultats. La jeune fille a réussi. Sa mère pleure de joie. De son père, en revanche, elle ne dit mot. Qu'a-t-il pensé ce jour-là ? Que lui a-t-il dit ? Pourquoi la fille tait son père en évoquant la première de ses victoires ?

Lorsque, en mai 2012, elle est nommée pour la première fois ministre, c'est à sa mère qu'elle téléphone en premier. Celle-ci, habituée au succès de sa deuxième fille, ne pleure plus. Elle lui demande si elle doit venir garder ses enfants. « On s'aime, on ne se le dit pas. » Najat n'évoque pas son père. Lui a-t-elle elle-même annoncé sa nomination comme ministre ou bien a-t-elle attendu qu'il le découvre à la télévision ? Elle ne répond pas. Assise dans son bureau ministériel, fumant et buvant un Perrier

9

ROLAND et JEAN-FRANÇOIS COPÉ
Le fils admiré

Jean-François Copé est une exception politique. Une intrigante exception politique. Fils adulé d'une mère optimiste et dévouée, enfant choyé de parents bons, il est surtout l'aîné très aimé d'un père très aimable. À huit ans, il colle des posters de Georges Pompidou sur les murs de sa chambre. À dix, il s'enthousiasme pour la campagne présidentielle de Valéry Giscard d'Estaing, suivie à la télévision. Il avertit sa famille qu'il fera de même ; il sera président de la République. Son père ne le moque pas. Chez les Copé, explique doctement leur fils, « on respecte la parole des enfants[1] ». À

---

1. Entretien avec l'auteur le 30 mai 2014. Toutes les citations pour lesquelles aucune autre source n'est spécifiée relèvent de cet entretien.

tel point que le garçon s'étonne de fatiguer ses baby-sitters lorsque le soir, au lieu de réclamer qu'elles lui lisent un livre ou jouent avec lui au Mille Bornes, il leur expose ses « théories complètes » sur la politique, l'histoire et la Seconde Guerre mondiale. Les jeunes filles s'ennuient à l'écouter. L'enfant ne comprend pas ; il ne lasse jamais ses parents.

À neuf ans, il tient un exposé devant sa classe. Trente minutes durant lesquelles, sans lire ses notes, il raconte à sa classe médusée le drame de la France en 1940. Quelle jouissance lorsqu'il comprend que toute l'école bruisse de son exploit ! Interloquée par la prouesse, l'institutrice convoque la mère. Monique Copé explique que la famille de son époux a fui les rafles antisémites et échappé, le 4 novembre 1943, à la traque des nazis dans les maisons d'Aubusson, et qu'il n'est donc pas étonnant que son fils s'intéresse tant à l'histoire. Elle ne précise pas qu'elle-même, jeune fille à Alger, vit sa meilleure amie tuée dans l'explosion d'une bombe, qui ne l'épargna que parce qu'elle était remontée dans le bus y chercher son sac à main. De ces drames, aînesse oblige, l'élève doué perpétue le récit. Ces événements disent bien plus encore : Jean-François Copé est né héritier de deux miracles, celui qui sauva son père et celui qui préserva sa mère. Le premier enfant de deux miraculés peut-il éprouver des limites ?

L'année suivante, en 1974, Monique Copé envoie son petit garçon deux mois à Santa Barbara en Californie pour y apprendre l'anglais. Il n'a que dix ans, il prend l'avion tout seul, il part pour un pays inconnu, il ne pleure pas. Une seule fois, Jean-François Copé a failli. Élève en primaire à l'école bilingue de Paris, il rapporte un piteux 4 sur 20 en dictée. Ses parents tiennent conseil. Roland serait d'avis de ne pas s'affoler, Monique tient le pire pour acquis. Comment supporter que son aîné échoue, tolérer sans rien tenter qu'il ne soit pas le meilleur ? « Elle déclenche un plan Orsec », rit tendrement son fils. Tous les matins, sa mère le réveille une heure plus tôt et, tandis que la maisonnée dort, lui fait réviser son orthographe. Jean-François renoue rapidement avec des 20 en dictée. Des décennies plus tard, il fera de même avec son fils aîné. Il s'étonne que celui-ci l'ait mal supporté.

Chaque été, ses parents ne possédant pas encore leur maison de famille dans les Yvelines, les quatre Copé – le père, la mère, le fils et Isabelle, de deux ans sa cadette – entreprennent un voyage. L'Argentine, le Brésil, un mois dans la brousse en Centrafrique, le Sénégal, la Grèce... Isabelle râle quand elle est sommée de quitter la plage pour contempler au musée le masque d'Agamemnon. Jean-François, lui, s'extasie longuement devant la merveille archéologique. « Il a toujours été parfait, un fils parfait[1] », répète son père, incapable de lui décerner un autre adjectif. Collégien, il joue avec sa classe *L'Avare* de Molière et propose, à l'âge où ses camarades mourraient plutôt que de voir un parent approcher à moins de cent mètres des grilles de l'établissement, que son père dirige la mise en scène du spectacle. Lycéen, le jeune garçon révise son bac de français et demande de l'aide à son père. Au hasard, Roland Copé choisit un texte dans la liste – un extrait des *Pensées* de Pascal, « L'honnête homme » – et l'analyse d'une traite. « J'admire mon père. » C'est alors que Jean-François apprend qu'un frère est attendu. Quinze jours de bouderie. Jean-Fabrice naît. Une merveille que ses aînés cajolent et que sa mère inscrira dans un cours de japonais à l'âge de cinq ans.

« Quand on rentre à la maison, il faut se taire. J'ai passé mon enfance enfermé dans ma chambre. » Roland Copé est médecin, fils de médecin, brillant et très occupé. Il choisit une spécialité méconnue, la proctologie, soit la médecine de la partie digestive basse. Comme il n'est pas agrégé, la Faculté de Paris dédaigne ses travaux. Mais, aidé de son

---

1. Entretien avec l'auteur le 10 avril 2014. Toutes les citations pour lesquelles aucune autre source n'est spécifiée relèvent de cet entretien.

épouse, assistante enthousiaste, Roland s'acharne, rédige d'excellents manuels d'enseignement et se bat pour que soient mieux dépistés les cancers du colon et de la prostate. Il devient professeur. Reconnu par ses pairs, praticien réputé, Roland Copé consulte énormément, à l'hôpital comme au domicile familial. À 21 heures, les derniers patients partis, le médecin ôte sa blouse blanche et retrouve ses enfants. Après le dîner, il prépare les films qui lui serviront pour dispenser ses cours aux internes. Défilent sur le mur du salon des centaines de diapositives de fistules anales, d'anus malades, d'abcès, d'hémorroïdes, de mélanomes, de suppurations, de fesses de patients à quatre pattes devant l'objectif médical. Le père commente les symptômes, la mère rédige les légendes. « Des films de cul », se souvient, littéral, Jean-François.

Roland aurait voulu « faire » comédien. Son père, médecin généraliste, lui recommanda d'étudier la médecine. Chez les Copé, l'amour filial est obéissant. Toutefois, le goût du spectacle demeure. Père de famille, Roland écrit des sketches, rédige des saynètes, reçoit à sa table des comédiens amis. Ils aiment rire, blaguer, jouer. La famille ambitieuse est rieuse. Jean-François, adolescent, donne la réplique, jouant le traducteur face à son père en poète russe. Les époux Copé donnent également de petites soirées où, entourés d'amis, ils enchaînent les pas de charleston et les passes de tango, leur grande passion – Monique est une ancienne élève du conservatoire de danse. Jean-François ne se consume pas de honte, comme d'autres au même âge pourraient y être enclins, il apprécie le spectacle de ses parents, « très bons danseurs de salon ». Lorsque se produit au théâtre parisien du Châtelet « Tango Passion », le ballet argentin qui enchanta Broadway, Jean-François y accompagne ces derniers. « Une découverte, une telle émotion. » Il a vingt ans quand son père s'inscrit au conservatoire du quartier, commençant dès lors une seconde carrière de comédien. C'est à cette époque, lors d'un dîner spécialement organisé à leur domicile par ses parents, que Jean-François propose ses services militants à Édouard Frédéric-Dupont, maire RPR du 7ᵉ arrondissement de Paris.

Roland Copé cherche vainement le souvenir d'une insolence, d'une crise d'adolescence, d'une querelle. Jean-François n'a jamais fumé, il n'est jamais rentré ivre : « Je n'ai pas eu de problème avec lui. Il est adorable. » Quand il achève Sciences Po, le diplômé est fatigué et, pour se distraire, s'organise une joyeuse succession de virées estivales. Las, il sait qu'il devrait tenter d'intégrer l'ENA et demande rendez-vous à son professeur de droit public, espérant secrètement que celui-ci l'en dissuade. Mais l'enseignant l'enjoint de passer l'exigeant concours, faisant valoir qu'il a toutes ses chances, étant un des cinq meilleurs de la promotion. Abattu, le jeune homme rentre chez lui se changer pour la soirée, où il voudrait retrouver une jeune fille. Dans le vestibule, il croise son père. Se joue alors une scène édifiante, une scène qui dit tout de ce trio. De sa voix douce, Roland demande ce que lui a conseillé son professeur. Jean-François marmonne qu'il lui recommande de tenter l'ENA. « T'es con si tu ne le fais pas », conclut le père, s'éloignant déjà. Il sait que cela suffira. « Fou de rage », le jeune homme enfouit tous ses livres dans sa valise et part réviser dans la résidence secondaire, achetée à Gambais dix ans auparavant. Quinze heures quotidiennes de travail tout l'été. Il est reçu à l'ENA. Ici intervient le second acte de cette scène, celui de la mère. L'aspirant énarque l'avait avertie : s'il échouait, il se consolerait seul dans une boîte de bossa-nova ; s'il réussissait, il fêterait cela en famille dans un grand restaurant. Sa mère réserve le grand restaurant et... l'obscure boîte de bossa-nova. Monique Copé ne s'en tient pas là. « Elle est la seule mère au monde à avoir réussi à savoir une heure avant que les résultats ne soient officiellement affichés que j'étais admis », s'émeut son fils, auquel l'empressement maternel vole l'effet de surprise et qui ne lui en tient pas rigueur. Une mère qui, pour célébrer l'anniversaire de son fils, n'a jamais cuit de gâteau aux couleurs de l'Élysée, comme il fut parfois écrit, mais qui,

Comme un déni de réalité. Mais le fils de deux miraculés, le fils d'un père admiratif, peut-il sentir la morsure du réel ? Le manque crée le désir, dit la psychanalyse. Et que crée l'abondance ? Un enfant roi.

10

MICHEL et ARNAUD MONTEBOURG
Le fils des contraires

Une pile volumineuse est posée sur la table de sa cuisine. Leïla Montebourg, professeur d'espagnol, prépare des affiches appelant à soutenir les ouvriers grévistes de Lip, cette entreprise d'horlogerie du Doubs devenue, en ce début des années 1970, l'étendard de l'autogestion contestataire. Sur chaque affiche est dessiné un clown. Arnaud se concentre. Sa mère lui a confié une mission. Il doit tamponner un nez rouge sur le visage du clown. Le petit garçon plonge le bouchon de liège dans l'encre, puis l'applique sur le nez. Il vérifie que le nez est bien rond, bien rouge, puis passe au suivant... Leïla lui explique que sa tâche est noble, qu'il importe de soutenir les ouvriers et de se méfier des patrons capitalistes. Arnaud tamponne. Heureux d'aider sa mère, content de l'écouter lui raconter la lutte, la grève, et tout ce qu'elle retient de sa lecture hebdomadaire de *Rouge*, le journal édité par la Ligue communiste revolutionnaire, auquel elle est abonnée. Dans sa maison de Saône-et-Loire, l'avocat socialiste qui aura été le turbulent ministre de l'Économie, du Redressement productif et du Numérique a placardé un exemplaire de cette affiche au nez rouge.

Après avoir déplacé sept fois le rendez-vous – la faute à un agenda en singulière ébullition –, Arnaud Montebourg nous reçoit, satisfait. Les bras étendus en travers de son canapé, il n'attend pas les questions, préférant mener de sa voix tonitruante le récit de ses propres exploits. Sa mention très bien au bac (par deux fois celle-ci revient dans la conversation du quinquagénaire), comment il fit entrer clandestinement le planning familial dans son lycée, lança une grève pour s'indigner d'une colle infligée à une élève, organisa des quêtes pour soutenir les Bretons pollués par l'*Amoco Cadiz*, fit circuler une pétition afin que la Coupe du monde de football de 1978 ne se tienne pas dans l'Argentine du dictateur Videla et, enfin, ce jour où il coupa la chique au doyen de la faculté de droit (il épelle le nom dudit doyen)… Pause. Nous osons une percée : Et votre père ? « C'est moi qui l'ai convaincu de s'engager[1]. » La

_____

1. Entretien avec l'auteur le 31 juillet 2014. Toutes les citations pour lesquelles aucune autre source n'est spécifiée relèvent de cet entretien.

« Je ne sais plus très bien où elle est. » De quel père cet ouragan narcissique peut-il bien être le fils ?

De son absolu contraire. Michel Montebourg est un homme posé, à l'humour subtil, « très british », dit Pascal Nicolle, l'ami d'enfance ; « un esprit modéré, un rassembleur », témoigne Arnaud, « un homme qui toujours veut trouver un consensus ». Michel Montebourg est le fils du « boucher face la gare », celui qui tient la Maison de la rosette, à Autun. Dans cette famille d'artisans, le travail est une valeur sacrée. Arnaud le découvre quand, l'été, ses parents l'envoient aider son oncle paternel, qui a repris l'établissement. « On bosse comme des dingues. » Aucun congé, le commerce ouvre sept jours sur sept, ses employés se lèvent à l'aube, déjeunent sur le pouce entre les clients et les carcasses de porcs et ne baissent le rideau qu'après 20 heures. Arnaud Montebourg se souvient de ce voisin qui interpella son oncle, lui demandant pourquoi il ne prenait pas ses congés payés comme tout le monde. Ce dernier haussa les épaules. Un truc des socialistes, aucun intérêt. Les Montebourg se reconnaissent dans la droite orléaniste, giscardienne, attachée à la défense du petit commerce, mais ils ne s'engagent qu'en discutant le bout de gras avec la clientèle. Leur fils Michel choisit une autre voie, la fonction publique. Il devient fonctionnaire des impôts, achevant sa carrière en ayant atteint l'échelon de directeur départemental. Auprès de ses proches, il souligne sa vie, une épopée dont les souvenirs émerveillent l'enfant. Les Ould Cadi forment une fière dynastie d'aristocrates dans l'Oranais algérien. Khermiche est le fils de bachagas, ces hauts dignitaires de l'ancienne hiérarchie administrative de l'Algérie, qui « portent le turban et la Légion d'honneur ». Dans les années 1920, Khermiche adolescent voit son père mourir assassiné et décide de le venger. Il échoue, est condamné au bannissement par un tribunal indigène. Privé de la fortune familiale, il est confié aux soins d'un paysan montagnard, auquel Arnaud Montebourg rendra visite, bien des décennies plus tard, ébloui de découvrir que certaines rues d'Oran portent les noms de ses ancêtres. Khermiche Ould Cadi s'engage dans l'armée française et s'éprend, en garnison, d'une postière, Jeanne, Normande catholique. Prisonnier des Allemands pendant la Seconde Guerre mondiale, il est renvoyé par l'armée française en Algérie lors de la démobilisation, où sa famille le réintègre enfin. La guerre d'independance déchire Khermiche l'Oranais et vaillant soldat français. Il soutient le FLN, comme ses cousins engagés secrètement dans l'Armée de libération nationale. Le grand-père d'Arnaud Montebourg se bat contre les Français, dans les rangs desquels il s'engagea, parmi lesquels servent ses deux futurs gendres, et alors même qu'il a laissé dans le Morvan ses trois enfants, inscrivant son unique fils au lycée militaire d'Autun. En 1962,

Khermiche et Jeanne Ould Cadi s'installent définitivement à Glux-en-Glenne, à vingt-cinq kilomètres d'Autun. Leïla, leur fille, y fera la connaissance du discret Michel Montebourg.

Les réunions de la famille Ould Cadi présentent au jeune Arnaud une incroyable scène de théâtre, où chaque rôle est passionnément incarné. Le grand-père célèbre avec emphase la mémoire de ses ancêtres, qui aidèrent l'Empire napoléonien à pacifier l'Algérie. Ses récits picaresques ravissent son petit-fils, qui écarquille les yeux en entendant son aïeul lui conter qu'il n'est jamais sorti de chez lui sans une canne pour éloigner les mendiants. Sa mère, Leïla, qui fut scolarisée en France, défend la décolonisation avec la rage d'une exilée. Quant au gendre, son père Michel, le fils d'une famille « assez Algérie française », il essaie, comme à son habitude, de trouver un terrain d'entente. Mendésiste et par conséquent raisonnable, il décrit ses « trente-trois mois de jeune sergent, conduisant le camion sur les mines de Colomb-Bechar », où il affronta peut-être les oncles et cousins de sa future épouse. Que de passions contraires se mêlent dans l'esprit d'Arnaud, qui grandit tout à la fois furieusement arabe et morvandiou, héritier de seigneurs bachagas et petit-fils d'un boucher-charcutier. La gloire qu'il tire des racines légendaires de sa famille maternelle ne trouve guère d'écho dans la France rurale des années 1970. Berbère, arabe, rien de bien admirable pour ses petits camarades de Saône-et-Loire. Sa tante Yamina lui a raconté comment, à l'école, on l'insultait en la traitant de bougnoule. Un jour, sa professeur lui avait demandé de rédiger son plus beau souvenir de vacances. Naïve, la petite Ould Cadi décrivit le somptueux mariage d'une cousine algérienne auquel elle venait d'assister. L'enseignante lui rendit sa copie avec ce commentaire : « Vos *Mille et Une Nuits*, là, c'est mauvais. Je voulais un récit véridique. » Arnaud retient qu'il aurait de quoi être fier, mais que personne autour de lui ne peut le comprendre. Bien au contraire. C'est étrange, pour un enfant, que d'avoir honte d'être fier. Et lourd de ne pas trop savoir à quelle histoire on appartient.

Auprès de son père et de sa mère, l'atmosphère est calme, loin des envolées fiévreuses Ould Cadi. Les époux Montebourg ont acheté une vieille ferme à Fixin, un village de vignerons où chacun élabore sa cuvée derrière de hauts murs, les volets clos pour que nul n'espionne les secrets de fabrication. Arnaud est un enfant tout à la fois solitaire et sociable. Il n'invite jamais de copains chez lui, mais passe ses journées fourré chez les voisins d'en face, les Crusserey, des vignerons communistes, ou chez les instituteurs Nicolle et leurs trois enfants, des nouveaux venus qui, eux, sont parvenus à s'intégrer joyeusement dans le village en rejoignant diverses associations du cru. Contrairement à leur entourage, ce ne sont pas des agriculteurs, nés sur ces fécondes terres familiales, mais deux fonctionnaires débarqués au hasard d'une mutation. Michel Montebourg a tenté de participer à la vie communale, se faisant élire sur la liste d'union locale conduite par un fils de vinaigriers de Dijon. Afin d'offrir aux enfants d'autres loisirs que le seul patronage des religieuses, l'inspecteur des impôts monte un groupe de Francas, ce mouvement d'éducation populaire créé en 1944. Le projet hérisse les conservateurs de Fixin. Michel Montebourg, déçu, démissionne. Cette communauté fermée le dédaigne, il s'en détourne. Ce n'est qu'en mai 1981 entraîné par son fils, alors âgé de dix-neuf ans et touché par la victoire de François Mitterrand, qu'il se résoud à prendre sa carte au parti socialiste et à fréquenter, silencieusement, la section locale. Homme posément de gauche, Michel Montebourg offre à son fils l'exemple d'un engagement distant. Un brin suspicieux.

L'inspecteur des impôts et sa femme professeur vivent résolument à l'écart. Ils ne reçoivent que fort rarement quelques collègues du collège où Leïla enseigne. Le matin, chacun rejoint son travail en voiture ; le soir, ils rentrent tard. Arnaud attend que sa mère ait fini ses cours et ses réunions syndicales en s'installant à la bibliothèque municipale, où il lit tout ce qu'il trouve. Pendant leurs vacances, ils retapent petit à petit leur maison. « Ils y ont passé vingt-cinq ans », se souvient leur fils. Ou bien ils partent camper « en Yougoslavie, le plus souvent ». Lycéen, Arnaud gagne son argent de poche en faisant les vendanges chez les Crusserey. 19 francs de l'heure pour couper le raisin, le dos courbé dans les vignes. Arnaud Montebourg, déjà très grand, se redresse sans cesse pour raconter des histoires drôles à ses camarades. « Le vieux Crusserey passe entre les rangs, et crie : baissez-vous, Montebourg, baissez-vous ! » Arnaud obéit. Plus pour longtemps. En terminale, Arnaud, pour la première fois, est autorisé à ouvrir les portes de la maison familiale à ses amis du lycée Brochon de Dijon. Une boum. Il a dix-huit ans, des cheveux longs et un chien, Ubu, qui l'accompagne partout.

« Tu dois aller le plus loin possible. » Michel le répète à son fils unique. Celui-ci, « grande gueule mention très bien », comme il se définit lui-même, est passionné par la politique. Sans trop savoir d'ailleurs s'il convient en la matière d'adopter la distance de son père, ou s'il serait plus amusant de s'engager fiévreusement, comme sa mère qui ne manque aucune manifestation de la gauche, comme sa tante, militante du planning familial, ou comme sa grand-mère, Jeanne Ould Cadi, qui participa à l'occupation du plateau du Larzac. Le jeune Montebourg hésite. « La politique, c'est ma vie. » Mais sa vie doit-elle ressembler à celle, réfléchie, de son père, ou à celle, passionnée et foutraque, de sa mère ? Le futur socialiste se souvient d'un matin d'avril 1974. Son père entre dans sa chambre : « Lève-toi, Pompidou est mort. » Arnaud est en classe de cinquième. Dans le hameau, un giscardien anonyme colle des affiches pour Giscard. Arnaud le suit et les arrache l'une après l'autre. Son camarade du collège, Étienne de Monty, décide d'incarner VGE dans la cour du lycée, un bâtiment construit pour ressembler au château d'Azay-le-Rideau et qui fut jusqu'à peu un établissement réservé aux filles. Arnaud, Étienne et Pascal Nicolle profitent d'y être de rares échantillons masculins. Si de Monty est VGE, Montebourg sera Mitterrand. Il joue très bien. Il a le sens du théâtre. Les élèves applaudissent ce spectacle, rejoué à chaque intercours. Montebourg y prend goût. Il sait si bien faire rire, capter l'attention. Il multiplie les actions, les coups d'éclat, les provocations. Chahut aux réunions du député-maire de Dijon, Robert Poujade. Concert de rock sauvage qui fait disjoncter l'installation électrique du lycée. Radio pirate, rédaction d'un fanzine, dont Arnaud est tout à la fois l'illustrateur et le rédacteur en chef. Intervention sauvage dans les réunions de parents, qu'Arnaud perturbe en escaladant le mur de l'établissement. Tout ceci l'amuse mais pour autant, il renâcle à adhérer au Mouvement des jeunes socialistes, auquel son copain Pascal Nicolle le presse de le rejoindre. Arnaud se méfie. Hésite-t-il à rejoindre les rangs de maintenir autour d'elle de la passion, d'être digne de sa fièvre. « Entre ma mère et mon père, c'est le débat entre la conviction et la responsabilité », résume celui qui est alors ministre mais qui, quelques semaines plus tard, sera contraint de quitter le gouvernement, dont il a publiquement critiqué la politique. « Je suis comme mon père, du côté de la responsabilité », conclut-il. Certes…

Arnaud Montebourg, le fils des contraires, deviendra avocat, comme son grand-père l'avait annoncé. Comédien un peu aussi peut-être, comme celui-ci l'avait prophétisé. En guise de « grandes écoles », il fit Sciences Po mais par deux fois échoua à intégrer l'ENA, dont son père rêvait pour lui. Très vite, la politique, celle que sa mère méprise et que son père surveille, devient son absolue passion. « Ma vie est entièrement politique », martèle celui qui sera élu, à la stupéfaction de son propre parti, député à trente-cinq ans. L'avocat est parvenu à épingler à son tableau de chasse médiatico-judiciaire Tibéri, le maire RPR du 5e arrondissement parisien, et Alain Juppé, qui, adjoint aux finances à la mairie de Paris, serait intervenu pour que soit diminué le loyer de son fils. La veille de sa première élection, le 31 mai 1997, dans la 6e circonscription de Saône-et-Loire, il épouse Hortense de Labriffe, sa compagne. « Mon mariage, c'est la lutte des classes », annonce-t-il, avant de se lancer dans un sketch hilarant, mettant en scène les principaux personnages du dîner de noces. Après la messe, célébrée dans l'abbaye cistercienne de Valmagne, à quelques kilomètres d'Agde, les deux cents invités dînent dans le cloître. Anne de Lacretelle, mère de la mariée et veuve du comte Antoine de Labriffe, chargée du mécénat à la banque Paribas, prend la parole et vante les exploits de son époux, décédé durant… la guerre d'Algérie. Un exposé qu'elle conclut en souhaitant à sa fille d'être digne de la noblesse de ses ancêtres. Un silence glacé saisit l'assemblée. La famille Ould Cadi se raidit, soufflée par cette indélicatesse. La famille Montebourg encaisse, stupéfaite, le passage pouvant donner à penser que l'aristocratique Hortense commet une mésalliance en épousant le petit-fils d'un boucher-charcutier. « Ma mère se lève, raconte Arnaud Montebourg vingt ans plus tard, elle saisit le micro et, avec magnificence et dignité, rappelle que la vraie noblesse est celle du cœur. » L'assistance se tait. « C'est alors que mon père prend tout doucement la parole. La voix calme, il fait une habile synthèse, rendant à chacun sa part de gloire. Il conclut en souriant : Hortense, on vous aime. Et là, tout le monde applaudit. Les Ould Cadi se mettent à chanter *La Morvandelle*. Il était comme ça, mon père. Un pilier. » Le lendemain de ce mariage remarquable, les voitures roulent en convoi jusqu'à la permanence du marié, élu

11

JACQUES et SÉGOLÈNE ROYAL
La fille du vieux fusil

Quand il est question de son père, Ségolène Royal se tait. Ainsi n'a-t-elle ni refusé, ni accepté de nous recevoir, elle n'a simplement pas répondu. Elle se tait ou bien elle ment. Effrontément, obstinément. Naïvement aussi, tant il est facile de confronter ses propos. Invitée sur un plateau de télévision[1], la présidente de la région Poitou-Charentes paraît détendue en cette soirée de janvier 2011. On l'interroge : a-t-elle vraiment, jeune étudiante, conduit son propre père devant les tribunaux, afin d'obtenir que celui-ci verse à son ex-épouse une prestation compensatoire et subvienne aux études de ses enfants ? La réponse darde : « C'est

---

1. « Face aux Français », France 2, 27 janvier 2011.

une légende que j'ai assigné mon père en justice. »
Une légende, donc. C'est dit. Publiquement. À la
télévision. Ségolène Royal n'a pas, à l'âge de dix-
neuf ans, intenté un procès à son père. Soit. Un an
auparavant, elle a accordé un entretien au journaliste Daniel Bernard[1], qui rédige sa biographie. Il
l'interroge sur ce procès, gagné après dix ans de
procédure. L'élue parade : « Pour les juges, c'était
incongru d'attaquer ainsi un officier, qui plus est
titulaire de la Légion d'honneur. » Le revirement
est d'autant plus intrigant que peu d'événements
dans l'histoire d'une vie – matière versatile et sensible s'il en est – sont aussi tangibles qu'un acte
judiciaire. Ségolène Royal a attaqué son père en justice. Et elle n'en convient pas toujours, ou l'oublie,
ou le néglige, ou voudrait qu'il en fût autrement.
Lorsqu'il est question de son père, la responsable
socialiste ne s'encombre pas de faits. Guère plus de
vérité d'ailleurs, si tant est qu'il en existe une pour
dire son enfance. Ainsi, il lui arrive de se souvenir
de son enfance comme d'une période « pénible,
violente[2] », et parfois voici qu'elle rend un quasi
hommage à son père, qui, « très autoritaire, m'a
structurée ». Virevolte, là encore. Obérant le risque
d'être prise en flagrant délit, la ministre socialiste
se contredit parce qu'elle ne peut faire autrement.

---

1. *Madame Royal*, Daniel Bernard, Jacob-Duvernet, 2010.
2. « Le Divan » d'Henry Chapier, FR3, 20 février 1994.

terriens. De cette union, mêlant le sabre et la terre, naît, en 1920, Jacques Royal, l'aîné de huit enfants. Lui et ses frères seront tous militaires et tous admiratifs de leur père, cité deux fois à l'ordre de l'armée. Hélas, l'histoire, mauvaise fille, piétine les ambitions de ces garçons, nés trop tard pour vaincre. Tout juste bachelier quand éclate la Seconde Guerre mondiale, Jacques n'a que le temps d'être admis aux épreuves écrites de Polytechnique. Il rejoint le champ de bataille et n'obtiendra jamais le bicorne. À défaut d'X, il s'engage dans l'artillerie – comme son père – mais il échoue à combattre avec bravoure, car il est retenu prisonnier en Prusse orientale. La guerre finie, il sert en Indochine. Puis, comme son père, il demande la main d'une héritière du voisinage, Hélène Dehaye, la fille cadette d'industriels de Nancy. Le couple Royal, et leurs enfants chaque année plus nombreux, est muté au Sénégal, où naît Ségolène, puis en Martinique. Des postes ensoleillés et faciles que le père de famille ne savoure pourtant guère, car sa carrière dans la coloniale l'afflige. Il assiste, impuissant, au démantèlement de l'Empire français, enrôlé dans cette génération de soldats condamnée à toujours perdre. Après la perte de l'Indochine, l'indépendance de l'Algérie le meurtrit. Le lieutenant-colonel a combattu dans le Sahara occidental et le sort fait aux harkis le bouleverse. « Ce drame l'a marqué. Toute sa vie, il a continué de s'occuper des harkis, de chercher à les faire venir en France. Il entretenait avec eux des liens constants, au détriment de sa famille », témoigne un intime. À quarante-quatre ans, le militaire demande à être mis à la retraite. Le fils du colonel héroïque est désormais l'employé de son beau-frère à la Manufacture des armes et cycles de Châtellerault. Ruminant son destin raté, le voyageur de commerce s'accroche à une dérisoire tradition militaire. Il veille à ce que son épouse, recluse dans leur maison des Vosges, élève selon ses rigoureux préceptes l'unique troupe qui lui obéisse encore : ses huit enfants.

La gentilhommière de Chamagne, où vivent les dix Royal, appartenait à Marie-Thérèse, la grand-mère paternelle. Ancien pavillon de chasse des ducs de Lorraine, trois étages recouverts de lierre, la grosse bâtisse entourée d'un jardin est plantée au carrefour des deux rues principales de ce petit village. La seule chambre chauffée est celle des filles. Leurs frères s'habillent à l'abri sous leur édredon, tant l'hiver lorrain pince. La vie est rude, l'argent insuffisant. « Nous étions complexées parce que nous étions très mal habillées, ça marque l'enfance. Surtout quand on est la quatrième, on a toujours les habits des frères et sœurs[1] », dit la responsable socialiste. Jacques Royal élève ses enfants à

---

1. *Idem.*

la dure. Punitions, messes obligatoires, cheveux ras pour les garçons, coupe du bois, cueillette des champignons, soupe aux orties et cabinet noir pour les récalcitrants. Passionné de faune et de flore, le militaire chasse dès qu'il en a le loisir, retrouvant avec plaisir le maniement des fusils. Il dévore des ouvrages de botanique et en enseigne les secrets à ses enfants. « Jacques est un homme des bois », confie sa sœur. La forêt lui offre un refuge et le console. Il n'a jamais su que sa fille préférée, l'ardente Ségolène, braverait un jour bien des quolibets pour protéger à son tour un bout de nature : le Marais poitevin. Le fils de polytechnicien est un homme cultivé, un germaniste lettré et, comme toute sa famille à l'époque, un catholique conservateur, qui écoute chaque jour l'un de ses cinq cents disques de chants grégoriens. Ses enfants sont scolarisés dans le privé, « il choisit pour eux les meilleurs collèges, les meilleurs lycées », affirme une autre de ses sœurs. Ségolène Royal garde de sa scolarité un tout autre souvenir : « Nous, les filles, il nous a toujours fait sentir que nous étions des êtres inférieurs[1]. » Elle a quinze ans lorsque son père l'inscrit comme interne chez les Chanoinesses de Saint-Augustin à l'Institution Notre-Dame d'Épinal. La bonne élève s'y épanouit, heureuse d'échapper à la discipline paternelle. Elle y compte

---

1. *Idem.*

comme conseiller à l'Élysée. En est-il fier ? Il ne l'appelle pas, ne cherche pas à la voir. Elle non plus, d'ailleurs. Rongé par un cancer, le lieutenant-colonel se meurt. Seul, il agonise dans une maison hantée par son orgueil. Le malade ne range plus, il ne nettoie rien et déambule, furieux, parmi les albums de photos, les cahiers d'enfants, les jouets, les bibelots, les vêtements. Des souvenirs insolents sur lesquels il trébuche. Lui qui se croyait aimé se voit abandonné. À l'hôpital, où l'on tente de juguler sa maladie, Jacques Royal apporte ses fusils de chasse. Assis sur son lit, le pyjama flasque, le militaire huile ses armes à feu, il les nettoie, les polit et les pose, près de lui, sur sa table de chevet en Formica. Les infirmières s'alarment, les médecins s'émeuvent. Jacques Royal ne cède pas. Jacques Royal ne cède jamais. Il sera soigné avec ses fusils.

À côté de son arsenal, du papier et un stylo. Le père de famille écrit une lettre à ses enfants, une complainte dans laquelle il expose minutieusement ses maux divers, recensant le décompte de ses piqûres. Il ne leur demande pas pardon, ni d'ailleurs ne formule de reproches. Il ne les prie pas de venir l'embrasser, ne s'épanche pas dans d'ultimes tentatives de réconciliation qui allégeraient son grand départ. Fier, Jacques Royal. À ses enfants qu'il n'a, pour six d'entre eux, pas revus depuis vingt ans, il écrit offrir sa souffrance à Dieu. Il fait lire cette lettre à ses sœurs, à son neveu. Personne ne sait s'il l'a postée. Certains habitants du village contactent ses fils. Ils devraient passer embrasser leur père, ses jours ne seront plus nombreux. « Les ont-ils crus ? Ils ne sont pas venus, ils ont été très choqués lors de son enterrement de réaliser comment avait été sa fin », témoigne Marie-Jeanne, leur tante. La messe de funérailles est dite par un aumônier militaire. « Chacun de nous est toute sa vie habité par son enfance[1] », a murmuré, voici longtemps, Ségolène Royal. Et, ce jour-là, elle disait vrai.

_____

1. *Idem.*

12

GEORGES et FRANÇOIS HOLLANDE
Faire rire son père

Le cabinet médical de Georges Hollande est installé dans l'appartement familial, rue des Carmes à Rouen. Ses deux garçons, Philippe et François, sont encore petits, ils se plient aisément à cette drôle de vie où il faut se montrer silencieux et se déplacer entre les pansements, les patients et les convalescents. C'est dans leur propre lit que ceux-ci reprennent leurs esprits après que le docteur Hollande est intervenu sur leur nez ou leur gorge. « Je voyais mon père opérer les malades[1] », se souvient François Hollande. Bientôt d'ailleurs, c'est son tour. Appliquant une prophylaxie disciplinée, le père ôte les amygdales et les végétations

---

1. Entretien avec l'auteur le 28 juillet 2014. Toutes les citations pour lesquelles aucune autre source n'est spécifiée relèvent de cet entretien.

de son fils, à la suite de quoi il est prié de ne jamais avoir de souci de santé. Ce qui, raconte le président de la République en éclatant de rire, sera le cas. Georges Hollande est un bon médecin et Nicole, son épouse, infirmière de métier, une assistante dévouée. Le cabinet prospère. Bientôt, Georges achète à Bois-Guillaume, sur les hauteurs de Rouen, un corps de ferme attenant à une exploitation agricole. La bâtisse est en mauvais état, mais joliment située en pleine campagne. Il dessine les plans de la rénovation, conduit les travaux, veille à chaque détail du chantier. Ils emménagent dans cette maison qui enchante ses fils, contents de l'espace qui désormais s'offre à leurs jeux. Là, les deux frères gambadent, ils attrapent les tritons dans la mare, tapent la balle dans le champ du voisin et taquinent les poulets de grain que leur père soigne dans le fond du jardin. Dans ce poulailler, construit selon des plans soigneux, le médecin passe du temps. Cette activité intrigue ses fils. Ils sont trop jeunes pour savoir que ce geste est un hommage. Leur père est l'unique descendant d'une famille taiseuse de volaillers, installée à Plouvain dans le Pas-de-Calais. Le père de Georges, Gustave Hollande, en est parti, laissant la ferme familiale à sa sœur et son frère, volaillers et célibataires, qui, jusqu'à leur mort, y demeureront derrière des volets obstinément fermés, habités par la peur que les bombardements allemands ne s'abattent à nouveau sur le cimetière et ne redispersent alentour les ossements de leurs aïeux[1]. Le docteur Georges Hollande, oto-rhino-laryngologue, affectionne ses poulets. Il n'oublie pas.

Georges est un père qui ne joue pas. Il travaille. Lorsqu'il se repose, il achète tout ce que proposent les représentants de commerce qui, à l'époque, sillonnent les campagnes. La collection intégrale des *Tout l'Univers*, divers dictionnaires en maints volumes, des manuels d'histoire contemporaine, des livres, des disques par dizaines. Il les lit, les écoute, puis les passe à son fils François. Jamais à Philippe, frère aîné de deux ans qui, déjà, préfère à ces lectures ses propres distractions. Sur injonction paternelle, le collégien étudie également les quatre volumes qu'Yves Courrière consacra à la guerre d'Algérie, et qui, en ce début des années 1960, se vendent à plus d'un million d'exemplaires. Le fervent supporter du club de foot FC Rouen délaisse, contraint, ses exemplaires de *France football* et lit ce récit minutieux des ultimes combats coloniaux.

Le sort de l'Algérie française est la passion incongrue, et amère, de Georges Hollande. Obsession incongrue, car le médecin rouennais n'y connaît personne, n'y compte pas de famille,

---

1. *Francois Hollande. Itineraire secret*, Serge Raffy, Fayard, 2011.

n'y possède ni terres, ni souvenirs. « Il manifeste de plus en plus de sympathie pour le camp du refus de l'abandon de l'Algérie », se remémore son fils qui, dans ce climat défaitiste, s'éveille à la politique. Le soir, François voit son père tenir des réunions à leur domicile, il entend les compagnons militants parler tard et, bien qu'il soit trop jeune pour comprendre ce qui se joue, il entend la maison bruisser, son père s'emporter. François les écoute, il les regarde rédiger leurs tracts, les observe qui argumentent, commentent l'actualité avec passion. Lorsqu'en 1959 le général de Gaulle évoque la possibilité d'une auto-détermination pour cette colonie, si éloignée des pluies de Bois-Guillaume, il sent « monter une tension ». La formule est douce pour dire que, en politique, le père de François Hollande ne choisit que des causes perdues.

François a cinq ans lorsque son père se porte candidat aux élections municipales de Rouen, sur une liste d'extrême-droite, largement battue. Il a neuf ans lorsque, en 1965, celui-ci renouvelle sa tentative à Bois-Guillaume, où la famille a élu domicile. Il prend la tête de la liste « Rénovation et expansion », assemblage hétéroclite d'anciens proches de l'OAS, de personnalités soupçonnées de collaboration ou de notables, soucieux de faire fructifier le potentiel de cette commune limitrophe[1]. Sévère échec. Dans ces deux défaites, Georges Hollande trouve de quoi justifier sa « vision catastrophiste du monde », comme la désigne son fils. Le médecin abandonne la politique de terrain, il ne se contentera plus que de pester, prédisant le naufrage français et prophétisant l'invasion communiste, imposant ainsi à sa famille des déjeuners nourris de tirades pessimistes. François ne partage aucun de ces combats anachroniques, mais il admire chez son père « cette opiniâtreté ». Le futur socialiste inoxydable saura en faire montre, son tour venu.

Le fils ne provoque pas son père. Dès ses dix ans, François Hollande emprunte avec bonhommie d'autres voies. Il s'intéresse au candidat qui plaît à sa mère, l'enjouée Nicole. L'enfant se passionne ainsi pour François Mitterrand, « cet effronté qui défie le général de Gaulle ». Un effronté, que sa mère affectionne, constitue un bon choix. Le choix du camp des optimistes. Le camp de sa mère. Le camp du fils. Lors de son discours de campagne présidentielle, le 22 janvier 2012 au Bourget, le futur Président évoque l'origine de son credo socialiste. « Je remercie mes parents. Mon père parce qu'il avait des idées contraires aux miennes et qu'il m'a aidé à affirmer mes convictions. Ma mère parce qu'elle avait l'âme généreuse et qu'elle

_____
1. *Idem.*

m'a transmis ce qu'il est de plus beau : l'ambition d'être utile. La gauche, je l'ai choisie, je l'ai aimée. » Dans cet hommage, tempéré, à chacun de ses parents, dans ce fameux discours qui constitue un tournant de la campagne, le candidat cite, étrangement, trois écrivains. Camus, Baudelaire et Shakespeare. Trois illustres auteurs qui ont un seul trait commun : Camus est orphelin de père, Baudelaire perdit le sien à l'âge de six ans et le dramaturge anglais vécut la terrible humiliation de voir le sien, accablé de procès, courir à la ruine. Trois pères défaillants dans un seul discours. Des références qui trahissent un regret. Son père s'est beaucoup trompé.

« Avec mon père, je n'ai pas eu besoin de faire conflit », résume François Hollande, dans une syntaxe peu commune. Faire conflit comme on fait opposition, ou l'amour, ou la guerre. Il n'a pas eu besoin de « faire conflit » car, très tôt, le petit Normand comprend qu'il y a mille autres façons de vivre avec quelqu'un qui pense différemment, s'engage ailleurs, vote autrement. Mille autres façons, qui ont l'avantage d'être moins douloureuses et plus efficaces, car elles épargnent les forces et n'entament pas les réserves. François Hollande est à bonne école, tant le garçon jovial grandit dans la dispute entre Philippe, le frère rebelle, et Georges, leur père autoritaire. Le fils aîné accumule les mauvaises notes, il se fait renvoyer des écoles, virer des internats, de plus en plus rudes, dans lesquels on l'inscrit avec pour consigne de lui courber l'échine. Saint-Pierre-de-Dreux, dans l'Eure, puis le lycée Sainte-Barbe, dans le 5e arrondissement de Paris. Philippe défie le père avec rage et constance. Parfois, les deux en viennent aux mains. Les portes claquent, les gifles aussi. Nicole, la mère, tente vainement de raisonner son fils et de calmer son mari. François, le plus jeune de la famille, développe une autre stratégie, celle dont il fera sa principale force politique ; il s'adapte. Il contourne, il esquive. À l'école, il travaille sagement. À la maison, il amuse les siens. « Les mauvaises notes de mon frère me protègent. » François Hollande souligne, non sans tendresse fraternelle, l'avantage qu'il sut trouver dans ce conflit, car le garçon est ainsi fait qu'il parvient toujours à tirer une leçon des failles de son entourage. Dans le conflit entre son frère et leur père, comme dans les errements politiques de ce dernier, le jeune garçon discerne une sagesse utile, s'outille d'un avantage personnel. Philippe quittera ce père et sa bourgeoisie convenable. Musicien, il trouvera refuge dans les sphères contestataires des années 1970, où circulent des substances qui détruisent lentement. Philippe « fait conflit », lui. Père d'un fils aujourd'hui étudiant dans le sud de la France, il habite désormais dans l'immeuble de leur vieux père, résidence « Les Magnolias » à Cannes. Le obtient une spécialité, l'oto-rhino-laryngologie. En 1950, lors d'une soirée d'étudiants, il rencontre une infirmière, la pétillante Nicole Tribert. Elle est la fille d'un couple de tailleurs, installés dans « un tout petit appartement de soixante mètres carrés » dans le 17ᵉ arrondissement parisien, et sa joie de vivre le séduit. Les jeunes mariés sont dissemblables. Georges cultive une humeur maussade, tandis que Nicole babille. Georges conspue de Gaulle, alors que Nicole et toute sa famille sont de dévôts gaullistes. Georges rêve de bourgeoisie, de progression sociale, de fortune, quand Nicole, employée comme assistante sociale à l'entreprise d'électricité TRT à Rouen, milite pour la condition ouvrière. « Chez nous, il n'était pas le bienvenu », se souvient Gisèle, la cousine de Nicole et sa meilleure amie, qui comme elle devint infirmière et épousa un médecin, jovial, lui. Pourtant, le couple Hollande, que beaucoup estiment peu assorti, se retrouve autour d'une valeur commune : le travail. « Je n'ai jamais vu mes parents en vacances », affirme le président de la République. Quand celles-ci s'imposent dans le calendrier scolaire, leurs deux fils sont aussitôt envoyés chez les grands-parents maternels, les heureux Tribert. Deux mois complets, du 1ᵉʳ juillet au 1ᵉʳ septembre. Quatre semaines à la mer puis quatre autres à la montagne, dans des maisons louées pour accueillir conjointement décolonisatrice de son pays. Ce qui reviendrait à dire qu'on s'engage en politique parce qu'on espère en obtenir du pouvoir. Tiens donc... Un père qui se trompe, « n'aime pas le pouvoir », ni d'ailleurs la stabilité. « Mon père bazarde tout. » Le médecin est un nomade, bourru et despotique. Cinq années passées dans la maison de Bois-Guillaume, « toute une vie pour moi », admet son fils, et soudain, sans crier gare, voici que sonne le départ. Georges Hollande en a certes parlé à Nicole, qui approuve son choix de s'installer à Paris, où les écoles seront meilleures et les relations choisies, mais il ne prévient pas ses fils, que tout lie à cette maison. « J'y ai beaucoup de souvenirs heureux. » En 1968, Georges déménage sa famille à la hussarde. Sa violence est effrayante, elle n'épargne rien. Quelques mois auparavant, le médecin, aspirant à la notabilité, a fait réaliser des portraits à l'huile de ses deux fils. Deux tableaux à l'allure dynastique, qui signent sa réussite et témoignent de sa fortune, de celle qu'on peut dépenser dans la contemplation de sa descendance immortalisée. Ces deux portraits tout juste arrivés, Georges Hollande les jette à la poubelle. François s'étonne. Il ne dit rien de voir son portrait écrasé par les ordures.

Le père de famille vend la maison dessinée par ses soins. Il se débarrasse des collections de voitures, des soldats de plomb, des livrets scolaires, des photographies de classe, des disques de ses fils. Jette encore les linéaires d'encyclopédies et de dictionnaires achetés sur son pas de porte. « Sa clinique marchait bien, or il vend tout, il plaque tout, il est comme ça », commente François Hollande. Contre ce père qui « bazarde » sans égard, l'enfant réagit à sa manière, là encore ; il s'adapte. Après cette épreuve du grand débarras de Bois-Guillaume, le garçon prend garde de conserver, bien caché, un petit paquet renfermant ses jouets favoris, afin qu'ils échappent aux razzias paternelles. Il se promet aussi de ne jamais, ô grand jamais, devenir celui qui choisit, celui qui impose, celui qui tranche. Le fils du grand bazardeur sera le champion de la synthèse. Il se construit non pas contre ce père qu'il chérit, mais en fonction de lui. Adapté.

« Je suis inquiet, car je ne connais pas Paris, mais, au lycée Pasteur à Neuilly, je m'intègre vite. Et là aussi, j'en suis reconnaissant à mon père. » L'arrachement à l'enfance normande est une aubaine pour le bon élève, qui débarque dans « un autre monde », celui de la bourgeoisie parisienne. Son père installe sa famille dans un bel appartement boulevard Maillot, aux rideaux de velours carmin, fauteuils Louis XVI, meubles de style. « Il adore les jolies choses. Sa femme et lui sont satisfaits », se souvient une cousine, qui aime à rendre visite à sa tante dans ce logement cossu. Georges Hollande, le petit-fils d'éleveurs de poules devenu médecin, aspire à grimper dans l'échelle sociale. « À Paris, ils sont heureux, tout redémarre. » Hélas, comme en politique, les choix du père ne sont guère judicieux. Depuis Rouen, le spécialiste des amygdales se pique de promotion immobilière, une activité qu'il découvrit en investissant dans un ensemble résidentiel à Bois-Guillaume et dans la construction d'un parking. À Paris, il ne pratique plus la médecine libérale, qu'il croit destinée à l'effondrement, phagocytée par un État rapace qui l'assujettit. Une conviction qu'il soigne non sans paradoxe car, s'il cesse son activité indépendante, il se fait en revanche embaucher comme médecin à la Sécurité sociale. Cela lui assure un revenu modeste mais lui laisse tout loisir pour poursuivre ses opérations financières. Il y perd beaucoup d'argent. Il se lance alors dans les agences de voyages, secteur dans lequel il engloutit, là encore, de coquettes sommes. « François n'en parle pas, mais les affaires paternelles ne sont pas fameuses. Pour autant, ses parents ne se disputent pas, sa mère demeure toujours enjouée et son père, mutique », dit Jean-Louis Audren, camarade du lycée, devenu chirurgien, que la famille Hollande emmène le week-end dans sa maison de campagne en Normandie. Trois ans plus tard, Georges la vend.

François Hollande n'en veut pas à son père de les avoir sevrés des douceurs de Bois-Guillaume. Au lycée de Neuilly, il s'entoure d'une bande de solides copains, avec lesquels il drague les filles à la sortie du lycée Saint-James. « Il emballe par son humour », rit Jean-Louis Audren. Surtout, s'ouvrent au jeune homme, passionné de politique, des voies nouvelles, enthousiasmantes. Son père lui serine de se présenter au concours de la Banque de France, il voudrait son garçon banquier, un métier honorable et lucratif. Délégué des élèves, présent au conseil d'administration de son établissement, le jeune François en décide autrement. Sans s'opposer, sans crier, sans claquer la porte, comme vient de le faire Philippe le musicien. Il présente le concours de Sciences Po, une école que lui ont recommandée deux parents d'élèves, frappés par sa vivacité : le journaliste du *Monde* Bertrand Girod de l'Ain et Jérôme Solal-Céligny, membre du Conseil d'État et un des rédacteurs de la Constitution de la Ve République. François Hollande en informe son père. « C'est incompréhensible pour lui, revenu de tout. Il me dit qu'il est déçu. Seules comptent à ses yeux les affaires, la réussite matérielle. » Georges Hollande, qui a semé chez son enfant cette passion de la politique, le laisse pourtant faire. Son fils rend-il hommage à son goût, mal récompensé, pour les affaires lorsqu'il choisit d'étudier également à HEC, avant d'intégrer l'ENA ? Georges Hollande aide financièrement l'étudiant, il lui loue un studio, subvient à ses dépenses. « Mon père ne m'a jamais dit qu'il m'aime, or il m'aime », affirme son fils. Qui poursuit : « Aimer, c'est bien, mais savoir aimer, c'est autre chose. Transmettre, donner... » Le 15 mai 2012, lorsque François Hollande apprend qu'il est élu président de la République française, la première personne qu'il appelle est son père. Qui le félicite, puis maugrée : « Dans quelle vie tu t'engages ! Mais dans quelle vie ! »

On a beaucoup glosé sur l'usage immodéré de l'humour et le talent certain pour les « petites blagues » du hiérarque socialiste. Ce reproche méconnaît l'ardent désir du petit garçon qu'il fut, éperdument soucieux de rendre heureux ce père qui l'est si peu. À table, au salon, en voiture, partout François multiplie les plaisanteries et, quand la voix de son père enfle pour pester contre ce pays qui sombre, le garçon esquive le courroux d'une pitrerie. Sa mère Nicole n'a, quant à elle, nul besoin d'être animée par la jovialité de son fils. Elle est de nature gaie, parvenant même à faire rire ses nièces et sa chère cousine Gisèle en leur racontant comment la veille, alors qu'elle refusait les avances empressées d'un voisin de table, celui-ci lui fit observer que, eu égard à la conduite volontiers papillonnante de son époux, elle gagnerait à être moins réservée. Nicole, toujours rieuse et si généreuse. François voudrait faire rire son père. Lorsque celui-ci, la mine sombre, regarde à la télévision un des tout premiers rôles de l'acteur comique Louis de Funès, et que soudain il éclate de rire, son fils connaît un fulgurant bonheur. Il respire. « Mon père rit. » À l'évocation de ce souvenir intime, son regard, aujourd'hui encore, s'égare. « Mon père rit. Il rit ! » François Hollande, le petit garçon qui voudrait que son père rie.

François a fait sa vie. Nicole Hollande et son époux prennent leur retraite dans un appartement à Cannes, situé juste au-dessus de celui de Philippe, leur fils aîné, le saxophoniste fragile. Veillant toute l'année sur ses deux hommes, l'été venu, Nicole leur échappe. Elle prend sa voiture et part, seule malgré son âge, visiter les villégiatures de ses neveux et nièces, puis retrouver à Mougins les enfants de François et Ségolène. Grand-mère coquette, portant chaque jour des chemisiers de soie, elle garde volontiers ses petits-enfants à Paris. Georges, le taciturne, l'accompagne. Tandis qu'elle joue avec les quatre petits, leur cuisine des gâteaux, admire leurs dessins, il demeure à lire dans un fauteuil. Non que les enfants le dérangent, mais il leur préfère la lecture. Quand Thomas, le fils aîné de François, prépare le concours d'entrée à Sciences Po, Nicole passe un mois à ses côtés, lui préparant des repas chauds, veillant à ce qu'il dorme suffisamment. Georges bougonne.

Sciences Po, la politique, ce n'est pas une vie, encore moins un métier. Alors, quand ça devient une habitude, un héritage familial… Lorsque Ségolène Royal se porte candidate à l'élection présidentielle de 2007, Nicole et Georges en veulent à celle qui est alors encore pour eux une belle-fille. Faire ça à François, tout de même. Mais ils ne disent rien. Chaque jour, Nicole téléphone à Flora, la troisième des enfants Hollande, alors en classe de première au lycée parisien Victor-Duruy, pour la rassurer et lui répéter qu'on peut survivre à la séparation de ses parents, même quand celle-ci s'étale impudiquement. Georges, lui, se tait. Si François l'avait écouté, il aurait épousé une héritière, pas une ambitieuse, de surcroît sans le sou. À sa manière ronchonne, le grand-père se montre en revanche heureux que Clémence, deuxième enfant de François et Ségolène, choisisse d'étudier la médecine, comme lui. « Il lui parle beaucoup, il lui dit des choses qu'il ne m'a jamais dites, observe François Hollande. Mais, le connaissant, il doit aussi lui expliquer que la médecine est foutue, que c'est catastrophique, que ce pays court à sa perte. » Il est ainsi fait, Georges Hollande. Convaincu que le pire est certain. La catastrophe pour demain. « Mon père est très noir, très noir », reprend le président de la République, dont on comprend l'optimisme obstiné. Une réaction à la noirceur paternelle.

Sa cousine médecin, installée dans le Sud de la France, l'informe des chimiothérapies que subit sa mère atteinte d'un cancer. François téléphone beaucoup, mais il ne vient pas. Président du conseil général de la Corrèze, l'ancien premier secrétaire du parti socialiste connaît une passe morose, où les portables sonnent moins, ce qu'en politique on appelle communément une « traversée du désert ». Le responsable socialiste réfléchit. Préoccupé de lui-même, de son destin et de Valérie, alors son nouvel amour. Douloureusement touché par l'agonie de sa mère, François Hollande ne prend pas l'avion pour Cannes. Philippe, son frère aîné, lui reproche son éloignement. François le laisse dire. Le 8 mars 2009, quand leur mère rend son dernier souffle, François est absent. Il s'en voudra.

L'enterrement a lieu en famille, au cimetière de Saint-Ouen, dans la proche banlieue parisienne. Valérie Trierweiler passe dans les rangs pour prévenir, à voix basse, qu'après l'inhumation elle et François recevront à leur domicile, rue Cauchy, autour de quelques verres et de petites choses à grignoter. Ils pourront bavarder un peu avant de s'éparpiller. Autour du cercueil, la cérémonie se poursuit lorsque, soudain, François tourne la tête. Il remarque que son père s'éloigne à pas lents. « Tu as vu, Georges file en douce. Il part. Sacré Georges », glisse-t-il à sa voisine. Et il sourit. En effet, « Georges », comme il appelle son père, fuit l'enterrement de celle qui fut, pendant près d'un demi-siècle, son épouse. Sans dire un mot, sans étreindre ses fils. Il est ainsi, Georges. François Hollande s'efforce de ne pas lui en vouloir. Il voudrait tellement qu'il ne soit pas triste. Jamais triste. Alors, le fils sourit quand son père fuit.

Remerciements

À Michel Richard, dont l'amitié enthousiaste et la relecture exigeante me sont si précieuses.

À Sylvie Delassus, pour sa confiance.

À Anna Cabana, pour sa ferveur.

À Romain Gubert et Brigitte Hernandez, à Violaine de Montclos, Eugénie Lebée, Jérôme Béglé, Saïd Mahrane, Clément Pétrault, Nathalie Saint-Cricq, Christian Salmon qui, chacun, m'ont aidée.

À Michel Schneider et ses deux questions clés.

À tous « leurs » amis d'enfance, cousins, oncles, tantes, proches, frères, sœurs, compagnes, ex-compagnes et collaborateurs qui m'ont livré leurs souvenirs.

À leurs pères, à leurs mères, qui m'ont reçue.

À tous ceux et celles qui m'ont accordé de leur temps pour évoquer leur père.

Table

Cet ouvrage a été composé
par PCA à Rezé (Loire-Atlantique)
et achevé d'imprimer en France
par CPI Bussière à Saint-Amand-Montrond (Cher)
pour le compte des Éditions Stock
31, rue de Fleurus, 75006 Paris
en janvier 2015

Imprimé en France

Dépôt légal : janvier 2015
N° d'édition : 04 – N° d'impression : 2014346
71-07-4445/3